聖賢之道

湯一介

戊子年夏

国学基本教材

宋词选读

毛文琦◎编注

浙江古籍出版社

图书在版编目（CIP）数据

宋词选读 / 毛文琦编注 . — 杭州 : 浙江古籍出版社，2013.6

国学基本教材

ISBN 978-7-5540-0067-0

Ⅰ . ①宋… Ⅱ . ①毛… Ⅲ . ①宋词－选集 Ⅳ . ① I222.844

中国版本图书馆 CIP 数据核字（2013）第 128548 号

宋词选读

毛文琦　编注

出版发行　浙江古籍出版社

（杭州体育场路 347 号　电话：0571-85176986）

网　　址　www.zjguji.com

责任编辑　陈临士　潘铭明

特约编辑　陆有富

责任校对　余　宏

美术编辑　刘　欣

责任印务　贾　敏

照　　排　杭州立飞图文制作有限公司

印　　刷　富阳市育才印刷有限公司

开　　本　880 × 1230　1/32

印　　张　5.5

字　　数　130 千字

版　　次　2013 年 6 月第 1 版

印　　次　2013 年 6 月第 1 次印刷

书　　号　ISBN 978-7-5540-0067-0

定　　价　10.50 元

总　序

秋霞圃书院创办有年，在民间推动国学普及工作，志在以独立之精神、自由之思想为宗旨，促进古今中外文化思想与学术的交流，为中华民族文化的复兴而尽心尽力。其志可嘉，其行可感！

近年，秋霞圃书院耐儒兄主持编撰“国学基本教材”。本套国学教材集复旦大学、武汉大学、南开大学、中山大学、华东师范大学、上海师范大学等名牌院校的二十多名青年学人，采各种版本的国学读本之长，广泛吸取中小学一线语文教师的教学经验，精心编撰，是中小学生比较理想的国学读本，也是便于教师们使用的、较为系统的国学教材。

读本的篇目有:《弟子规》、《三字经》、《千字文》、《千家诗选读》、《幼学琼林》、《诗词格律》、《唐诗选读》、《宋词选读》、《论语》(上、下)、《史记选读》(上、下)、《大学　中庸》、《诗经选读》、《孟子》(上、下)、《左传选读》、《颜氏家训》、《诸子文选》(上、下)、《汉魏六朝文选》、《唐宋文选》、《礼记选读》、《楚辞选读》。每册有指导性概述，有经典原文，有对原文的注释与新译(赏析)，并配上文史链接(延伸阅读)、思考讨论等，图文并茂，准确生动，具有可读性与系统性。

梁启超先生说过，《论语》、《孟子》等经典“是两千年国人思想的总源泉，支配着中国人的内外生活，其中有益身心的圣哲格言，一部分久已在我们全社会形成共同意识，我们既做这社会的一分子，总要彻底了解它，才不致和共同意识生隔阂”。这就是说，“四书”等经典表达了以“仁爱”为中心的“仁义礼智信”等中华民族的核心价值观念，这是中国古代老百姓的日用常行之道，人们就是按此信念而生活的。

中国文化的大传统与小传统是打通了的。国学具有平民化与草根性的特点。中国民间流传着的谚语是：“勿以善小而不为，勿以恶小而为之”；“老吾老以及人之老，幼吾幼以及人之幼”；“积善之家必有余庆，积不善之家必有余殃”。这些来自中国经典的精神，透过《弟子规》、《三字经》、《百家姓》、《千字文》、《千家诗》等蒙学读物及家训、族规、乡约、谱牒、善书，通过大众口耳相传的韵语故事、俚曲戏文、常言俗话，成为“百姓日用而不知”的言行规范。

南宋以后在我国与东亚的民间社会流传甚广、深入人心的朱熹《家训》说:“事师长贵乎礼也,交朋友贵乎信也。见老者,敬之;见幼者，爱之。有德者，年虽下于我，我必尊之；不肖者，年虽高于我，我必远之。”“人有小过，含容而忍之；人有大过，以理而谕之。勿以善小而不为，勿以恶小而为之。”又说，“勿损人而利己，勿妒贤而嫉能。勿称忿而报横逆，勿非礼而害物命。见不义之财勿取，遇合理之事则从……子孙不可不教，童仆不可不恤。斯文不可不敬，患难不可不扶。”朱子说此乃日用常行之道，人不可一日无也。应当说，这些内容来源于诗书礼乐之教、孔孟之道，又十分贴近大众。它内蕴着个人与社会的道德，长期以来成为老百姓的生活哲学。

王应麟的《三字经》开宗明义：“人之初，性本善。性相近，习相远。苟不教，性乃迁。教之道，贵以专。”这就把孔子、孟子、荀子关于人性的看法以简化的方式表达了出来。儒家强调性善，又强调人性的养育与训练。

清代李毓秀《弟子规》的总序说："弟子规，圣人训。首孝弟，次谨信。泛爱众，而亲仁，有余力，则学文。"以下分成"入则孝"、"出则悌"、"谨而信"、"泛爱众而亲仁"等几部分。这些纲目都来自《论语》。《弟子规》中对孩童举止方面的一些要求，如站立时昂首挺胸、双腿站直，见到长辈主动行礼问好，开门关门轻手轻脚，不用力甩门等，这些规范都是文明人起码应有的，是尊重他人而又自尊的体现。又如："晨必盥，兼漱口，便溺回，辄净手。冠必正，纽必结，袜与履，俱紧切。""斗闹场，绝勿近，邪僻事，绝勿问。将入门，问孰存，将上堂，声必扬。""用人物，须明求，倘不问，即为偷。借人物，及时还，后有急，借不难。"这都是有助于文明社会的建构的，是文明人的生活习惯，也是今天社会公德的基础。

朱柏庐在《朱子治家格言》起首的一段说："黎明即起，洒扫庭除，要内外整洁;既昏便息，关锁门户，必亲自检点。一粥一饭，当思来处不易；半丝半缕，恒念物力维艰。"这些都是平实不过的道理，体现到一个人身上就是他的家教。旧时骂人，说某某没有家教，那是很重的话，让其全家蒙羞。我们不是要让青少年一定要做多少家务，而是要他们从小学就动手打理好自己与家庭的事情，不要过分依赖父母，依赖他人，能够自己挺立起来，培养责任意识。同时，知道一粥一饭、半丝半缕都是辛劳所得，我们能够懂得去尊重家长与别人的劳动。如果我们真的有敬畏之心，就知道珍惜，不应该浪费。

南开中学的前身天津私立中学堂成立于1904年10月，老校长严范孙亲笔写下"容止格言"："面必净，发必理，衣必整，纽必结。头容正，肩容平，胸容宽，背容直。气象：勿傲，勿暴，勿怠。颜色：宜和，宜静，宜庄。"这四十字箴言来自蒙学，又是该校对学生容貌、行止的基本要求。校内设整容镜，师生进校时都要照镜正容色。后来张伯苓先生治校，坚持了这些做法。

蔡元培先生在留德期间撰写了《中学修身教科书》，该书被商务印书馆于 1912 年至 1921 年间共印行了十六版，他还为赴法华工写了《华工学校讲义》，两书在民国间影响甚大，今人将其合为《国民修养二种》一书。蔡先生在民国初年为中学生与赴法劳工写教科书，重视社会基层的公民教育。蔡先生的用心颇值得我们重视，他从孝敬父母谈起，创造性地转化本土的文化资源，特别是以儒家道德资源来为近代转型的中国社会的公德建设与公民教育服务。

现今南京夫子庙小学的校训是“亲仁、尚礼、志学、善艺”。我认为这是非常好的。对孩童、少年的教育，首先是培养健康的心性才情，从日常生活习惯，从待人接物开始，学会自重与尊重别人。

我们今天强调成人教育，因为仅有成才教育是不够的，成才教育忽略了我们作为完整的人、健康的人所必需的一些素养，它在人格养成方面几乎是空白。这不是大学教育才有的问题，而是幼儿园、中小学教育就该关注的。养育青少年的性情，需要家庭、学校、社会的配合。

国学当中有很多修身成德、培养君子人格的内容。中国古典的教育，其实就是博雅教育。传统的教育并不是道德说教，也不是填鸭式满堂灌的教育，而是春风化雨似的，让学生在点滴中有所收获并自己体验，如诗教、礼教、乐教等。

我觉得应该让孩子们处在良好的文化氛围中。家长、老师们要以身作则、言传身教，这对孩子们影响很大。家长、老师有义务端正自己的言行，尤其在孩子们面前。要培养孩子分辨是非的能力，多在性情教育上下工夫，关注孩子的心理健康，多与孩子交流，洞察他们的情感，并作正确的引导。现在一些家长做不到以身作则，他们撒谎骗人，打骂斗狠，不尊重老人，这些都会给孩子的成长烙下负面的印记。

我们也希望同学们能趁着年轻记性好，多读些经典，最好能背诵一些，其中的意思以后可以慢慢领悟。南宋思想家陈亮说过：“童子以记诵为能，少壮以学识为本，老成以德业为重……故君子之道不以其所已能者为足，而尝以其未能者为歉，一日课一日之功，月异而岁不同，孜孜矻矻，死而后已。”

本丛书所收经典与蒙学读物中有很多圣哲格言，都足以让我们受用终身。我们一直希望能有多一些的国学经典进入中小学课堂，至少让“四书”进入教材。我们希望能多一些国文课，让中小学生能接受到系统的传统语言与文化教育。中华民族有很多优根性，更需大大弘扬。

是为序。

郭齐勇

癸巳春于珞珈山

目　录

概　述

一、词的历史

词，可以算得上是诗词国度中最摇曳生姿，令人兴发感动的文体了。词是一种不同于诗的新文体，它来源于民间，雏形最早可追溯到隋朝。

从文字上看，词和乐府诗有着很密切的继承关系，不过在形式、风格和表现手法上又有它自己的特点。从音乐上看，它和以前的乐府属于不同的系统。隋唐时期，西域的胡乐，特别是其中的龟兹乐，经丝绸之路传入中原，与汉族原有的以清商乐为主的各种音乐相融合，于是产生了一种新的音乐——燕乐。燕乐曲调繁多，有舞曲，也有歌曲。歌曲的歌辞，就是后来词的鼻祖，当时叫做“曲子词”。曲子词最早流行于民间。二十世纪初期，敦煌曲子词的发现为这种说法提供了充分而又坚实的证据。我们现在看到的敦煌曲子词共有160多首。

后来，文人参与了词的创作。词脱去了朴素生动但又粗糙简陋的外衣，变得精致起来。尤其是晚唐温庭筠的出现，他是真正意义上的第一个专事词创作的文人。温词风格艳丽华美，这种风格影响了五代时期的西蜀词人，他们形成了一个文学流派，名“花间词派”。他们盛行用华丽的词采写男女情爱和游冶生活。五代时期，除了西蜀，南唐也很盛行填词。当时，南唐的皇帝和大臣都是词中能手，李璟、李煜、冯延巳最为出色。他们的词用语婉约，形象优美，可以引起丰富的联想，对宋代词人有很大的影响。

在中国文学史上，词是在宋代达到巅峰的，所以我们常称“唐诗宋词”。北宋词的主流是沿袭晚唐五代的风格，吟风弄月，注重词的抒情性和音乐性，代表人物有张先、“大晏”晏殊、“小晏”晏几道、欧阳修、张先、宋祁等。选本中选了林逋的词作为北宋时期的第一首，一则是时间早，二则这首词是比较明显的文人仿造民间词，也是为了提醒我们在读词的过程中不能忘记民间词在文人手中的发展。欧阳修的词影响了两个著名的词人，一个是苏轼，另一个是秦观。黄庭坚的诗好，虽然在词史上的地位比不过其他几位，但也是当时活跃在词坛上的人物，我们也有必要了解一下他的词。北宋还有另一些词人，比如范仲淹、王安石，他们的词慷慨苍凉、开阔悲壮，使得词的面貌呈现了另一种风格。这一类词到了苏轼那里就更明显了。贺铸在他们之后，他的词也是别具一格。柳永则精心创作长调慢词，使得词坛上小令一统天下的局面得以改变。后来，长调慢词在精通音律的周邦彦手中发扬光大，清朝的人非常推崇他，把他看做词史上的高峰。南北宋之交，一位女词人横空出世，那就是李清照。她的词从明丽清新到深哀入骨，体现了被时代裹挟的个人命运，但词的婉约本色未变。而宋徽宗赵佶，作为一个帝王，他的词很少，但后世常将他与李后主相提并论，同时他的词是民国起就一直很盛行的《宋词三百首》中的第一首，所以选本也将之选入。南宋时期，因为抵御外敌，出现了很多豪放的词人，比如岳飞。而一代之雄辛弃疾不仅代表了南宋词的最高成就，而且在整个中国文学史上占有相当重要的地位。陆游也致力抗金，但他的词相对比较婉约。姜夔的词是词坛上另外一种风格。不同于豪放，不同于婉约，有人提炼出“清刚”两个字，笔者觉得特别合适。吴文英、史达祖以及南宋末期的周密、

王沂孙、蒋捷、张炎等人的词大多是婉约词，形成了南宋词的主要风格。他们注重音乐的和谐，注重词的形式、语言技巧等方面，为词的发展作出了独特贡献，对后来的词影响深远。可以说，元明清词都是在宋词基础上发展出来的。

二、词的特点

从“倚声填词”来看，词有一个根本特点，就是它的音乐性。但因为古时候没有办法将声音保存下来，也没有很好的记谱方法，再加上改朝换代时往往兵荒马乱，所以我们现在已经不能再完全复原词的音乐性特征了。词调通过词牌固定下来。一种词牌大体上固定了词的押韵、对仗等基本规则。词调很丰富，现存词调有1000多种，其中，唐五代所创200多种，宋人则创作了630多种。

词的外在风貌有一个明显特点，那就是长短句。句式长短不齐，这与传统五七言诗大为不同。这是因为词是配合曲调写的，从视觉角度看，长短不整的形式更为风姿绰约。词在原本就是用于宴席上娱宾遣兴，歌唱者往往是歌喉婉转的佳人，这样的形式相得益彰。到了文人大量写词的时候，词的这种特点往往比较适合表现他们内心的一种幽微的情绪，所以作为和诗不同的文学样式，词获得了它自己旺盛的生命力。

词根据字数的多少，分为小令（58字以内）、中调（59—90字）、长调（91字以上）。此外，词还常常有“慢词”的说法。慢词是词的主要体式之一，它与小令都是宋代词人最为常用的曲调样式。慢词的名称从“慢曲子”而来，指依慢曲所填写的调长拍缓的词。

三、关于本书

无论是杨柳拂岸暮云牵情也好，铁马秋风霜河冷落也罢，阅读时我们贴近的往往是作词之人，试着穿过历史的烟云去触碰那人那时的情境。这本选本不求复原一部“宋代词史”，只希望能给读者一个关于宋词的大致印象。在细细体会那些美好词句的同时，尽可能走近历史上那些有血有肉的词人，体会他们的思想感情。

我们的选本虽然名叫《宋词选读》，但还是选了12首唐五代的词置于首章，以标明宋词的渊源。这本选本将李白的《忆秦娥》放在第一首，不是因为它最早，而是因为它被后人称为“百代之祖”，在文学史上地位很高，且时间又比较早。第二首是选自敦煌曲子词的《菩萨蛮》，我们要看到词原本质朴的一面，才能对它有一个全方位的了解。来自异域的音乐催开词的春花，始兴于野，婉转于歌者之口，再从民间走向花间，传唱于西蜀南唐，最终成于士大夫之手。学了唐五代的词，再去看宋词，会对词这种文体有一个相对全面的了解。这本书中北宋词选了24首，均为词史中的重量级作品，以期使学生对北宋词有一个大概的了解。彼时词开始盛行，佳作频现，犹如明月当空，天宇澄澈，词的月光给文坛镀上一层柔美清辉。待到南宋，混杂着国土沦陷的哀音，南宋词犹如一树老梅怒绽，既有苍虬老枝傲骨铮铮，也有娇美花瓣吐露芳馨。本书选了12首，这其中也考虑到南宋词以长调居多，学生学习的难度会比较大。

希望同学们在学习本书选录的词时，将“注释”和“赏析”结合着看，而在“思考讨论”部分能发挥自己的主动性，尝试多查阅相关资料，尽可能丰富自己的语文知识。

绪编　春花始兴——唐五代词

忆秦娥[1]

李　白[2]

箫声咽[3]，秦娥[4]梦断[5]秦楼月。
秦楼月，年年柳色，灞陵[6]伤别。

乐游原[7]上清秋节[8]，咸阳[9]古道音尘绝[10]。
音尘绝，西风[11]残照，汉家陵阙[12]。

注释

[1]忆秦娥：原为这首词的题目。后来成为词牌名。[2]李白（701—762）：字太白，号青莲居士。唐朝著名大诗人。[3]箫声咽：这里形容箫声悲切。咽，声音滞涩。　[4]秦娥：此处泛指秦地美貌女子。秦，春秋时期秦国的疆域。娥，古代秦国、晋国的美貌女子都被称为娥。　[5]梦断：梦被打断，即梦醒。[6]灞（bà）陵：又作“霸陵”，是汉文帝的陵墓，位于西安东郊白鹿原东北角。霸陵是中国历史上第一个依山凿穴的帝陵，对六朝及唐代依山为陵的建制影响极大。灞，即灞河。当地的霸陵桥

是当时人们到全国各地去时离别长安的必经之地，霸陵桥两边杨柳掩映，古人常常在此折柳送别。　[7]乐游原：位于现在西安城南，是唐代长安城内地势最高的地方。汉唐两代，京城仕女多在三月初三上巳节、九月初九重阳节到此游玩。　[8]清秋节：即重阳节。　[9]咸阳：即现在陕西咸阳。汉唐时期，从长安西去，咸阳为必经之地。　[10]音尘绝：这里代指断绝音信。音尘，指车马行进时的声音和带起的烟尘。　[11]西风：指秋风。　[12]汉家陵阙：汉朝皇帝的陵墓。阙，陵墓前两边的石牌坊。

赏析

这首词写秦地的一位美貌思妇独处闺中，思念着远方的游子或是征人。上阕一开始写“箫声咽”，如泣如诉的箫声缓缓升起在梦境中，这美妙的音乐声似梦非梦。呜咽的箫声惊醒了梦中人，抬眼一望窗外，半轮秋月清冷地斜斜簪在天宇，月光倾泻在窗前、床边，仿佛那个有着良人的梦境还未结束。“年年柳色，灞陵伤别”，“年年”，从时间上纵向展开，从一个月夜展向无数个月夜；“灞陵”，从秦楼这一封闭的室内空间转向灞陵这一广阔的外部空间，也为后文的登高望远埋下伏笔。折柳送别是古时的风俗，“柳”谐音“留”，这里既可以理解为秦娥想起了当年在灞桥相送的情景，也可理解为看到别人相送而想到自己。中国的诗词就是有这样的魅力，因为没有确指，所以有了无限的开放性和可能性。

下阕直接从重阳节乐游原登高怀远起笔。汉唐两代，京城的仕女通常都会在长安附近最高的乐游原游玩，秦娥自然也不例外。可是远眺咸阳古道，音尘断绝，她的良人杳无音信，怎不令人肠断？末二句“西风残照，汉家陵阙”，表面上是秦娥眼中所见，西风烈、残阳如血、汉家陵阙，三个意象的排列组合出一番寥廓的景色。

帝王也不过消逝在历史的烟云中。仅仅八个字，历史的厚重感却扑面而来。这种感慨出现在怀古词中很自然，但从闺怨词转而发出如此深沉的感慨是罕见的。历史的忧愁与思妇的忧愁，力量的强与弱交织，难怪这首词被称为“百代之祖”。

文史链接

词牌《忆秦娥》的故事

词牌名中的“秦娥”，最早指的是秦穆公的女儿弄玉。

弄玉是秦穆公的小女儿，貌若天仙，而且很喜欢音乐，在乐器中特别喜欢箫。有一天晚上，她坐在她的凤楼中，对着满天星星，拿出自己的玉箫。轻柔幽婉的箫声一直飘到了天边。后来，弄玉回房睡觉，做了一个梦。梦中有一个英俊少年，也吹着箫，骑着一只彩凤翩翩飞来。少年对弄玉说:“你好,我叫萧史。我住在华山，很喜欢吹箫，因为听到你的箫声，我特地来和你交个朋友。”说完，他就开始吹箫，箫声悠扬。弄玉很高兴，拿出自己的玉箫合奏。

弄玉醒来后，对梦中那位俊美少年再也不能忘怀。后来，秦穆公知道女儿的心事，就派人到华山去寻找这位梦中人。没想到果真找到一位名叫萧史的少年，而且他也真会吹箫。等弄玉见到萧史，美梦成真了，萧史就是她梦里的少年。

两人结婚后，非常恩爱，经常一起合奏。有一天，他们又开始吹箫的时候，忽然天外飞来一只龙和一只凤，载着他们飞到了天上。

思考讨论

你知道这首词的韵脚是哪些吗？它们和律诗、绝句的韵脚有什么不同？

菩萨蛮[1]

敦煌曲子词

枕前发尽千般愿，要休[2]且待青山烂。
水面上秤锤浮，直待黄河彻底枯。

白日参辰[3]现，北斗[4]回南面。
休即[5]未能休，且待三更见日头。

注释

[1] 菩萨蛮：唐玄宗时传入中国，列于教坊曲。 [2] 休：罢休，双方断绝关系。 [3] 参(shēn)辰：星宿名。参星在西方，辰星（即商星）在东方，不能并见。白天一同隐没，更难找到。[4] 北斗：星座名，又称北斗七星。因为位置在北，形状如斗，故名。[5] 即：同“则”。

赏析

这是一首很特别的词，出自民间。说它特别，不仅因为它很口语化，而且表达的感情很直白激烈。词的作者或许是个泼辣女子，或许是贩夫走卒，总之带着浓浓的土味儿。

词一开始就是一位恋人在对着自己的另一半发誓对爱情至死不渝。如何来证明自己呢？作者随后就用了“青山烂”、“秤锤浮”、“黄河枯”、“白日参辰现”、“北斗回南面”、“三更见日头”六个绝

不可能出现的自然现象，来表示自己的爱不可能改变。我们常常在阅读诗词的时候，发现词中有些"无理"的成分，但这个"无理"往往饱含真情。

词中的主人公想象多而新奇，这些内容无一例外，都是从生活中信手拈来的实例。上阕中罗列了三个现象，从青山、黄河入手，在古人心目中，山河都是永恒的象征。至于"秤锤沉于水"，则是生活中的常识，词人反过来写，表示不可能。下阕紧承上阕，没有丝毫间隙，接着罗列，称得上气贯长虹。不过下阕换成了日月星辰这些在古人心目中同样亘古不变的事物。山河的存在，昼夜的运行，都是大自然的规律，主人公的这种逆向想象力，既丰富又活泼，说话时的那股爽快劲跃然纸上。而这一口气的六个排比，其实只不过为了强调自己对爱情的信心和希望爱情天长地久的决心。

单从语意的理解上来说，这首词非常简单。不过，我们要联系别的知识内容，才能更全面地掌握它。在汉乐府民歌中有一首描写爱情的《上邪》："上邪！我欲与君相知，长命无绝衰。山无陵，江水为竭，冬雷震震，夏雨雪，天地合，乃敢与君绝。"这首乐府的构思方式或许给了这首词一些借鉴，但或许，这个勇敢地唱出自己心意的主人公根本没看过汉乐府，只是凭着自己的心唱出来。但这样恰恰回到了诗歌的最初状态，那就是唱出心里话。

文史链接

敦煌的宝物

大漠戈壁残阳如血，敦煌鸣沙山黄沙漫天。二十世纪开始的那一年，一排排踞岩而凿的佛窟张着大嘴瞪着大眼，谁也不知道有个道士即将打开尘封了九百多年的宝藏。

道士姓王，定居在莫高窟。彼时的莫高窟，破败不堪、满目凄凉，虽有千佛洞之称，却香火寥寥。当地居民对佛道两教不太区分，常常一同信奉，王道士选在千佛洞在当地人眼中天经地义，而且他为人本分厚道，颇受信任。有一天，他的伙伴劳动了一天，坐在一个洞窟里，顺手就把点过烟的芨芨草插入身后的一道裂缝。这裂缝不寻常，似乎很深，用手一敲，“崩崩”有声。王道士觉得有点奇怪，就沿着裂缝扒开泥，这一扒，“哗”的一声露出一个大洞。就这样，一个沉睡了九百多年的大窟，无意中重见天日。它就是日后引起世界轰动的敦煌莫高窟藏经洞。

藏经洞中的宝贝很多，据后来人们统计，里面有四至十一世纪初的文献、绢画、纸画、法器等各类文物，约计五万件、五千余种。内容包罗万象，使用的语言也多种多样。这些来自丝绸之路的中世纪珍宝，与殷墟甲骨文、汉简、明清档案一起，被誉为中国近代古文献的四大发现。

这个宝藏，不是寻宝故事中珠光宝气的宝藏，而是文化价值上的宝藏。藏经洞中与词有关的，就是那《敦煌曲子词》。在那个沉默的石窟中，它们被尘封千年。这些词有的反映商人游子的旅况艰辛与思乡之切，有的反映歌儿舞女的恋情及对幸福的渴望，有的抒发征夫思妇对战争的厌倦情绪。浓郁的生活气息，穿越历史的河流，使我们得以窥见千年前人们生活的一角。

思考讨论

这首《菩萨蛮》用了什么修辞手法？有什么好处？

渔歌子

张志和[1]

西塞山[2]前白鹭[3]飞，桃花流水鳜鱼[4]肥。
青箬笠[5]，绿蓑衣[6]，斜风细雨不须归。

注释

[1]张志和(730—约810):字子同,自号"烟波钓徒",又号"玄真子"。唐朝婺州（今浙江金华）人。 [2]西塞山：位于今浙江湖州西。 [3]白鹭:一种水鸟，春夏多活动于岸边或水田中。[4]鳜（guì）鱼：一种淡水鱼，肉质细嫩。 [5]箬（ruò）笠：用箬竹的叶子编制成的斗笠。箬，竹子的一种。 [6]蓑衣：草制的雨衣。

赏析

张志和的这首《渔歌子》节奏很明快,流传也很广。上阕一开始,

呈现了一幅色彩明丽的春景图。西塞山一片青葱，洁白的白鹭翩然飞翔；落英缤纷，娇艳的桃花在江水中欢快地打着转向前流去。白鹭与桃花色调上一白一红，一冷一暖，生机勃勃。水中还有很多肥美的鳜鱼，这一切多么悠然自得。到了下阕，诗人将镜头转向了渔夫，但并没有进行直接描写，而是从他的穿着入手。“青箬笠,绿蓑衣”是伫立在“斜风细雨”中的“渔夫”形象。青绿相间，与上阕的红、白构成丰富的色彩，色泽鲜润柔美，充满和谐安宁的气息。而这一切，其实都在“斜风细雨”之中，这一来就写出了江南春天那种特有的烟水迷蒙的情调。

画面是动态的，但是我们在读词的时候却能体会到渔夫的宁静安详。这动与静的交融,或许就是后世的隐士们追求的和谐之道。渔翁在钓鱼的同时，也在欣赏着天地间的灵秀之景，人与自然在这里融为一体。

这首《渔歌子》流传至今已经一千多年了,它不但被历代传唱，而且对后世的影响非常大，后人模仿极多。晚唐五代时的孙光宪、李珣，宋代的苏轼、黄庭坚等都写过很多的《渔歌子》。尤其苏东坡很欣赏张志和的《渔歌子》，因为《渔歌子》曲调失传不能唱，他把这首词添字填成一首《浣溪沙》和一首《鹧鸪天》。张志和的《渔歌子》这首词还流传海外,大概在成词四十九年后,流传到了日本。当时日本在位的嵯峨天皇很是倾慕汉文化，读后大加赞赏，并亲自在贺茂神社开宴赋诗，其他的皇亲国戚也都有唱和之作。后来，日本还把这些《渔父词》列于教科书中传授。这也是中日文化史上的一段佳话。

文史链接

神仙张志和

（一）

张志和是一名隐士，虽然名气很大，但很谦和。有一次，乡间小吏要征集民夫去挖河，看到张志和穿着布衣，就对他呵斥道：“你也去干活！”照理说，张志和曾有过功名，可以免除征役，可他没有和小吏争执，而是乐呵呵地拿起柳条筐和铁锹就开始干活了。

（二）

张志和不是一般的隐士，皇帝知道他的事迹后专程派了一男一女去伺候他。张志和接受了皇帝的好意，但没有把那两人当做奴仆来看待，而是让他们结为夫妻，并且给他们起名为“渔童”和“樵青”。

（三）

前面两则小故事还不能说张志和是神仙，一个涵养很好的人也可能做到。不过，到了后来，关于张志和的传说就越来越多，他被人赋予了神仙的色彩。相传他可以躺在雪地里不觉得冷，跳进水里不被沾湿，而且他沿着溪流垂钓从不投饵，可是也有鱼儿上钩。

有一次张志和与好朋友颜真卿等人在东游平望驿的时候，大家在一起喝酒，正喝得畅快淋漓，张志和忽然把坐席铺在水面上，端坐在上面。那坐席在水面上忽快忽慢，漂浮自如。紧接着，云中飞来了一只仙鹤，张志和一招手，那仙鹤就俯冲下来，驮起他，叫了一声冲天而去。就这样，张志和消失在天地之间，后来他的家人给他立了一座衣冠冢纪念他。

思考讨论

张志和的这首词可以画成一幅画，请试着画一画。

忆江南

白居易[1]

江南好，风景旧曾谙[2]。
日出江花红胜火，春来江水绿如蓝[3]，
能不忆江南？

注释

[1] 白居易（772—846）：字乐天，晚号香山居士、醉吟先生。唐代著名大诗人。 [2] 谙（ān）：熟悉。 [3] 蓝：蓝草，其叶可制青绿染料。

赏析

这首小令朗朗上口，字数不多，却成为描绘江南的代表作。首句"江南好"，看似大白话，但其实这个"好"，很直接也很全面，江南春色种种佳处，尽在不言中。至于作者的赞美与向往之情，那就更明显了。这个"好"，同时又关联了最后一句的"忆"。正是因为江南很美很好，所以词人才会常常回忆。接下来的"风景旧曾谙"，一个"旧"说明自己的"好"不是妄下断语，而是亲身体验。那时候词人执政杭州，度过了一段很难忘的岁月。"谙"，表明词人对江南很熟悉，到现在也不曾忘怀。三、四两句直接描写江南之"好"，词人选用江花、江水两种景物，采用红绿相映的明艳色彩，给人一种光彩夺目的印象。或许，这里也有杜甫"江碧鸟逾白，山青花欲燃"的影子吧。天下的美景各有各的美，但也有很多共同之处。这首词中，白居易运用的颜色很巧妙，不仅有对比色的映衬，还有同类色之间的变化。最后，以一句“能不忆江南”收束全篇，悠远而又意味深长。

文史链接

难忘杭州

江南对于白居易来说，是一个特别的存在。因为他年少时曾为避乱在江南居住，后来又担任杭州刺史多年。西湖上那道“白沙堤”改为“白堤”，也是为了纪念白居易。回到北方以后，白居易仍然对江南念念不忘，写下了一组《忆江南》。第一首就是我们上面所学的总写江南美景的词，第二首则描绘了杭州这个被喻为人间天堂的地方：江南忆，最忆是杭州。山寺月中寻桂子，郡亭枕上看潮头。何日更重游？

词人写杭州，抓住了“寻桂”和“看潮”两个标志性活动。“寻桂”来自一个传说。很久很久以前，月亮上有一棵很大的桂花树。又过了很久，杭州的灵隐寺附近种了很多桂花，寺里有个僧人对外说：“这里的桂花树都不寻常，是从月亮中移植过来的。我就曾经拾得月中的桂子。”这下灵隐寺的桂花树就更出名了，每年都有人去那里赏桂花、寻桂子。其实，桂子在文学作品中就是桂花的意思。词人将这一传说写入词中，点明秋天的季节特征，令人仿佛闻到桂子浓郁的芳香。短短一句“山寺月中寻桂子”，仿佛使我们看见了那个徘徊圆月下、流连桂丛中的身影，他时而举头望月，时而俯首细寻。或许真的有桂子从月中堕于桂花影里，这样的举动多么浪漫！下一句“郡亭枕上看潮头”则描写了杭州有名的钱塘潮。钱塘潮是词人独特的回忆，因为是在“郡亭枕上”看到的。

我们仿佛看到一个潇洒高卧在郡衙亭子里的身影，不远处便是那喷珠吐沫，如万马奔腾的潮头，这是多么壮观的江南景色！

思考讨论

请再找几首与江南尤其是杭州有关的诗词，感受不同作者对杭州的描写。

菩萨蛮

温庭筠[1]

小山[2]重叠金明灭[3]，鬓云[4]欲度[5]香腮雪[6]。
懒起画蛾眉[7]，弄妆[8]梳洗迟。

照花前后镜，花面交相映。
新帖绣罗襦[9]，双双金鹧鸪[10]。

注释

[1]温庭筠(812—870)：本名岐，字飞卿。太原祁（今山西祁县）人。晚唐著名花间派词人。　[2]小山：一说眉的一种，叫做小山眉，弯弯的样子。一说指绘有山形图案的屏风。这里采用后者。[3]金明灭：指阳光照耀下金色隐现明灭的样子。　[4]鬓云：像云朵似的鬓发。形容头发很多。　[5]欲度：将掩未掩的样

子。度，覆盖，这里是形容头发遮掩面容。 [6]香腮雪：香雪腮，雪白的面颊。 [7]蛾眉：眉毛细长弯曲像蚕蛾的触须，故名。一说是指元和以后浓阔的时新眉式“蛾翅眉”。 [8]弄妆：梳妆打扮，修饰仪容。 [9]罗襦：丝绸短袄。 [10]鹧鸪：一种水鸟。这里是指贴绣上去的鹧鸪图案。

赏析

温庭筠是中国词史上的一个大人物，他的十四首《菩萨蛮》是词史上一座华丽的丰碑。

这首《菩萨蛮》是其中最知名的，它代表了五代词中错彩镂金的风貌。第一、二句描写美人将起未起的情态。首句的解释一直存在争议，有的人认为“小山”是指眉毛，“金明灭”则是指脸上贴了金粉的“额黄”，这样的解释下，首句直接对准美人的脸部开始细节描写。不过，还有另外一种解释。“小山”指的是屏风，那么首句就是写室内的情景：阳光斜斜照进来，屏风上的金色隐现明灭。再将镜头转向枕上的美人，“鬓云欲度香腮雪”。抓住美人乌黑如云的头发和雪白的香腮两个特点，用一个“度”字把它们连接起来。美人卧于床，瀑布般的发丝下香腮若隐若现。我们这里采用第二种解释，因为美人的眉毛在第四句中比较明确地提到了。第三句直接写懒起，这一“懒”字，直接将美人的娇慵正面描述出来，“画蛾眉”三字点明美人起来后第一件事就是梳妆打扮。“弄妆”再次点题，一个“迟”字，与“懒”遥相呼应。“弄”字最特别，梳妆为何要用“弄”字呢？一来是填词声调的需要，二来，这个“弄”字既有精心准备的期待，又有无人欣赏的无奈。多少心绪，多少神情，都在这一个字里！

下阕两句“照花前后镜，花面交相映”，是这首词中为人称道

的两句。梳洗好了，就要照镜子看看是否合适。前后镜，是指两面镜子。一面前镜，是妆台奁内的座镜，另一面后镜，是手中所持的柄镜。用前后镜照什么呢？哦，是照一照后面发髻上的花插得好不好。这个场景是常见的，但因为它写得很精妙，人们仿佛可以看到美女顾盼之间的眼波流转，而且两镜相照，镜中有镜，花光与人面，交互重叠。短短十字，尽得神采！梳妆好了，再看一看“绣罗襦”，那精美的绸缎做的短袄，上面有“新帖”的花样子——什么图案呢？“双双金鹧鸪。”“新”是刚刚的意思。“帖”就是“贴”，是指当时衣饰的一种，就是用金线绣好花样，再绣贴在衣服上，叫做“贴金”。“双双”两字，直刺人心，因为美人形单影只，她的爱人没有回来，精心化好的妆无人欣赏，看到成双的鹧鸪，心中涌起无限的憾恨。

文史链接

温庭筠的外号

（一）温八叉

温庭筠从小就很聪明，学习也很刻苦，所以他的才华在当时就很有名了。据说，老师布置写文章，当时的文章叫做“赋”，是要押韵的，很难写得好。但是温庭筠才思敏捷，他在动脑筋的时候有个标志性动作，就是把两只手的手指相互交叉插一下。当他插了八次手指，他的一篇赋就写好了，这简直就是神速啊！所以，人们在惊叹之余给他起了个外号“温八叉”。这种敏捷的才思，和七步成诗的曹子建也差不多了。

（二）救数人

虽然这个外号看上去挺悲天悯人的，但其实不是一件值得宣扬的事情，因为这跟他考试作弊有关系。虽然他作弊不是为了自己，而是为了帮助别人，但破坏考场纪律终究是不对的。

温庭筠参加考试的时候，他周围的同学就偷偷问他答案，他也不推辞，常常告诉那些同学。有一次，主考官看见温庭筠来考试，就安排他坐在第一排，心想这回你就坐在老师的眼皮底下，总不会再帮别人了吧！没想到就是这样被紧紧盯着，他还是偷偷帮了八个人。这事一传出来，温庭筠又多了个外号“救数人”。虽然他帮了很多人，可是他自己却没有考上，真是令人觉得遗憾。

（三）温钟馗

这个外号和温庭筠的外貌有关。钟馗是谁呢？他是捉鬼的道士，长得面如锅底，眼若铜铃，总之很丑。温庭筠在外貌上实在是很抱歉，所以别人就在他背后偷偷叫他“温钟馗”。而且，据说他的孙子希望调到四川的长官手底下工作，因为长得跟他挺像，没想到竟然被拒绝了。这真的是很悲催的一件事情！虽然温庭筠人长得丑，但我们看人不能“以貌取人”，因为他笔底精致华美的生活写得非常到位，给了我们无数美的享受。

思考讨论

读了这首词，请你试着描写一下你脑海中浮现的温庭筠所描写的“美人”形象。

梦江南

皇甫松[1]

兰烬[2]落，屏上暗红蕉[3]。

闲梦江南梅熟日，夜船吹笛雨萧萧[4]。

人语驿[5]边桥。

注释

[1] 皇甫松（生卒年不详）：字子奇，自号檀栾（luán）子。睦州新安(今浙江淳安)人。其父为中唐古文作家皇甫湜。 [2]兰烬：此处把烛火比喻为兰。烬，灰烬。 [3] 暗红蕉：更深烛尽，画屏上的美人蕉模糊不辨。暗，使……变暗。 [4] 萧萧：同“潇潇”，形容雨声。 [5] 驿：驿站，古时候供出公差的人或行人暂时歇息的地方。

赏析

这是一首很典型的“朦胧词”，它和我们学过的白居易的《忆江南》营造的场景截然不同。“日出江花红胜火，春来江水绿如蓝”，是爽脆的。而这首词中，光线是暗暗的，即便是风景，也是梦中的风景。整首词显得柔婉，烟雨蒙蒙，如梦似幻，美就美在朦胧。

上阕是写实景。第一、二句，“兰烬落，屏上暗红蕉”，夜很深了，兰烛烧得很久，灯花无人剪，自垂自落，余光摇曳不定。屏风上猩红色的美人蕉花也随之黯然、模糊不清了。这光景自然是一片朦胧。词人就在这一片朦胧中进入了梦乡。

“闲梦江南梅熟日，夜船吹笛雨萧萧。人语驿边桥。”词人转写梦境。梅子黄时，夜幕深沉，江南笼罩在雨雾中。一个“闲”字，点明这是一种淡淡的思绪。雨声潇潇，笛声不似清风明月下悠扬。雨帘夜幕，江船朦胧，岸上的驿、桥也朦胧。“驿边桥”上的人语也不是那么清晰可闻，在雨声、笛声中隐隐约约、断断续续。这最后三句的场景原来是一场梦，梦原本是飘渺的，这就使得全词的朦胧意味更浓了。

这则小令很短，却将江南水乡的旖旎风情描绘得很生动。词短情长，在读的时候，我们仿佛可以看到昏暗的光线下，词人原本是辗转反侧的，而香甜的梦醒之后，那种怅然若失又是难免的。这是一曲好词，不是一览无余，而是让人在有限的字数中看到无限的情感。

文史链接

“花间词”的来历

晚唐后，进入五代十国时期，兵祸连年，位于现在四川省的西蜀国因为地势险要，所以偏安一隅。君臣在西蜀过着醉生梦死的生活。在那样的环境下，文人的心态发生了变化，原本抱着“达则兼济天下”的大志，如今转向美人的浅吟低唱。歌舞宴乐之时，他们愿意把才思转向词这种新兴的文体。因为他们将奢华的生活

写入词中，后代的人读他们的词，总能感觉到香风艳色扑面而来。公子王孙的宴席上，往往有佳人帮他们倒酒。他们有时高兴了，就即席创作，于是美人们会递给写作者花笺，帮他磨墨添香。写好了，歌伎就开始和着旋律唱起来。听着美人婉转的歌声，品味着自己或同坐者的作品，真是一种享受！

五代有一个人叫做赵崇祚，他将当时很多人的词搜集整理在一起，形成了一部《花间集》，将晚唐温庭筠的词放在最前面，选录西蜀的词人最多。后来人们就把这些词人称作“花间派”。

思考讨论

“花间词派”主要是指哪个地方的词人？这一词派的词风如何？

菩萨蛮

韦　庄[1]

人人尽说江南好，游人[2]只合江南老。
春水碧于天，画船听雨眠。

垆边[3]人似月，皓腕[4]凝霜雪[5]。
未老莫还乡，还乡须[6]断肠[7]。

注释

[1] 韦庄（约836—910）：字端己，杜陵（今陕西西安附近）人。唐朝花间派词人。有《浣花集》。 [2] 游人：这里指漂泊江南的人，即作者自谓。 [3] 垆边：指酒家。垆，旧时酒店用土砌成用来安放酒瓮的地方。 [4] 皓腕：洁白的手腕。 [5] 凝霜雪：像霜雪凝聚那样洁白。 [6] 须：应。 [7] 断肠：形容非常伤心。

赏析

这首《菩萨蛮》也是写江南的美景，并且传唱很广。读这首词之前，我们必须要做一个背景交代。韦庄的家乡在中原，因为长期战乱，民不聊生，他逃难到了江南。明白这一点，我们再来欣赏这首词。

上阕一开始就说"人人尽说江南好"，"人人尽说"，似乎意味着自己并未认为江南好，只是大家都说江南好而已，紧接着"游人只合江南老"，也是别人的话。江南很好，适合在此生活终老，所以别人对词人进行劝说。可是，中国人的心中总有一支怀乡曲，"美不美，故乡水；亲不亲，故乡人"。韦庄把自己怀念故乡可是欲归不得的感情很委婉地写在这两句里面。

上阕的第三、四句和下阕的第一、二句，展开了江南好的描写。对于江南好，词人也是赞同劝说他的人的。"春水碧于天"，描写江南水乡水色碧绿澄净，比天色的碧蓝更美。"画船听雨眠"，则是写卧在画船之中听潇潇雨声。这样的美景，这样的生活，与中原的战乱纷争相比可以说是天壤之别。不仅如此，下面进一步写了"垆边人似月，皓腕凝霜雪"，写了江南酒家女子光彩照人，露出的手腕白得欺霜赛雪。下阕中的"未老莫还乡"，简简单单五个字，用了双重转折，心思转折间，一片无可奈何。表面上写自己没有老所以不要还乡，看似旷达，其实满怀想回而不能回的伤感。最后一句“还乡须断肠”，这正是一开始“人人尽说江南好，游人只合江南老”的原因，故乡中原生灵涂炭，要是回去的话只会很悲伤啊。

文史链接

秦妇吟秀才

人们常常将韦庄和温庭筠并称为“温韦”，就像将李白和杜甫合称“李杜”一样。韦庄也是花间词派的代表词人，不过写的词比较浅显明快，风格和温庭筠不太一样。

韦庄生活在唐末乱世，即便出身贵族，也难逃战乱。五十岁前的韦庄基本都在江南游历，说得直白点，其实是一直在逃难。他年轻的时候，看到乱世中人活得很卑微，人命如同草芥。不管是平民百姓，还是王公贵族，在战争时代都一样悲惨。目睹了战乱的韦庄，曾经做过一首长诗《秦妇吟》，里面有“内库烧为锦绣灰，天街踏尽公卿骨”两句，将当时的战乱写得很是令人唏嘘。公卿尚且如此，百姓当如何？韦庄一时声名大噪，被人称为“秦妇吟秀才”。

后来，他到了蜀地，当时的节度使王建让他担任掌书记一职。王建称帝后，韦庄成为了宰相，得到了重用。

思考讨论

你觉得这首词和白居易的《忆江南》有哪些地方是相同的？哪些地方不同？

生查子

牛希济[1]

春山烟[2]欲收，天淡星稀小。
残月[3]脸边明，别泪临清晓。

语已多，情未了[4]，回首犹重道：
记得绿罗裙，处处怜芳草。

注释

[1]牛希济（生卒年不详）：五代词人。陇西（今甘肃）人，流寓于蜀。 [2]烟：此指春晨弥漫于山前的薄雾。 [3]残月：弯月。 [4]了：完结。

赏析

牛希济也是花间派词人，他的这首词有很多人喜欢。这首词描绘的是一个常见的主题，那就是情人离别。

上阕揭开了分别的序幕。“春山烟欲收，天淡星稀小”是写景，春天，远处的山峦连绵起伏，因为破晓东方渐明，所以山上即将烟消雾散，但还是有一些稀薄的云雾。天空露出鱼肚白色，寥落的晨星也慢慢黯淡下去。这是一个春日的早晨，天很快就要大亮，可是这也意味着无情的离别时刻在渐渐逼近。看着这样的景色，想着离别的时刻越来越近，心也渐渐收紧。短短二句，交代了时间、环境、

人物等等，并且还写得很美。接下来的两句，镜头渐渐移近，放在了送别的佳人脸上。清晓晨光熹微，天上还挂着一钩残月，照在佳人脸上，那泪珠仿佛会闪光一般，一道晶莹的泪痕，分外明显，也分外凄楚动人。

下阕还是写人，只不过上阕重在写人，下阕重在写情。“语已多，情未了。”千言万语已经说了又说，可是再多的话也难表达自己心中的万千情意。后三句最是精彩，抓住一个特写。分别后两人已经反方向而行，然而佳人忍不住又转回头，再叮咛一句“记得绿罗裙，处处怜芳草”。绿罗裙与芳草，同样都是绿色，佳人却因此生发联想。他会不会忘了自己呢？看着这绿色的芳草，佳人心想，天涯处处是芳草，他要是看见芳草就想到我的绿罗裙，就不会忘记我了。即使行遍天涯，爱情依然在。佳人希望两情久长，远游他乡的男子永不变心。这样的叮嘱不能不说，不甘心不说，可是不能直白地说，于是就这样含蓄而婉转地指指草又指指裙子，郑重叮咛了这么一句。通过联想将自然景色与心中感情巧妙地结合，正是这首词为人称颂之处。

文史链接

词牌《生查子》的来历

《生查子》最早是唐代的教坊（古代专门管音乐舞蹈的地方）曲，后来就用为词调名。

历史上也有很多人对这个名称做过解释，多数人采用的一种说法是“海客乘槎（chá）”的故事。“生查子”的“查”，应该是“楂”，而这个“楂”就有“槎”的意思，是指木筏，和现在的竹排有点像。那么这是一个什么故事呢？

在很久很久以前，天上的银河和大海是相通的。晋代有个人住在海中的小沙洲上，每年的八月份总会看到水上有个很大的木筏，自由来去，准时不误期。这个人觉得很奇怪，于是就在木筏上造了间很小的房子，带上一些粮食，坐上木筏，想看看这木筏是去哪儿的。一开始还看得到日月星辰，后来慢慢的，就连日夜都分不清了。又过了十多天，他忽然看到前面有岸，这岸上有城墙，有房子。他远远地看到一座房子里有个织布的妇女，不远处有个男子牵着一头牛站在水边，等着牛喝水。这牵牛人一看到这人，就很吃惊："请问，你怎么到这里来的？"这人就把一路上的情形告诉了牵牛人，然后问他："请问这里是哪儿啊？"牵牛人没有直接回答，只是说："你回到蜀都，然后去访问严君平，他会告诉你的。"这人就没有上岸，果然次年八月就回到家了。他到了蜀地，问严君平，严君平算了一算，说："某年某月某日，有客星侵犯牵牛星座。"掐指一算，这个日期正好是这人碰到牵牛人的日子，那条河原来就是银河。

这个故事中，倒没有说织女和牛郎隔着银河，反而说他们是在一起生活的。回到"生查子"，有人认为古代的读音和现在不一样，"生查"其实是"星槎"的意思。照这个解释，"查"在这里也应该读成 chá。

思考讨论

你觉得这首词中，哪几句最能表达依依惜别的深情？

浣溪沙[1]

李 璟[2]

菡萏[3]香销翠叶残，西风[4]愁起绿波间。
还与韶光[5]共憔悴，不堪看。

细雨梦回[6]鸡塞[7]远，小楼吹彻[8]玉笙寒[9]。
多少泪珠何限恨，倚[10]阑干。

注释

[1] 浣溪沙：又名“摊破浣溪沙”。所谓摊破，是指因乐曲节拍的变动引起句法、协韵的变化，突破原来词调谱式。《摊破浣溪沙》实际上是《浣溪沙》的别体，只不过上下阕各增三字，末字押韵。 [2] 李璟（916—961）：字伯玉，原名李景通。徐州人，南唐烈祖李昪（biàn）的长子，史称南唐中主。 [3] 菡萏（hàn dàn）：荷花的别名。 [4] 西风：秋风。 [5] 韶光：春光，美好的时光。 [6] 梦回：梦醒。 [7] 鸡塞：即鸡鹿塞，汉时边塞名，今在内蒙古西部。此处泛指塞外。 [8] 吹彻：吹完最后一段。彻，大曲中的最后一遍。 [9] 玉笙寒：玉笙以铜质簧片发声，遇冷则音声不畅。 [10] 倚：凭靠。

赏析

南唐中主李璟的这首《浣溪沙》脍炙人口，后来王国维的《人间词话》大行于天下，对这首词的大力推举更是扩大了其影响。

词的上阕写景。“菡萏香销翠叶残”，荷塘里的荷花已经凋零了，那翠绿的荷叶也已经枯黄，半残不残。“菡萏”两字不太常用，但放在这里很有郑重其事的感觉，词人是怀着一颗虔诚的心以庄重的心情在写枯荷。秋风起，碧水盈盈。秋风是清冷的，它把枯叶都带走，留一根根光秃秃的秆子突兀地站在水塘里。一个“愁”字，用拟人的手法把秋风和秋水都写活了。上阕也因此蒙上了萧瑟的意味。接下来三、四两句，由景生情，进一步突出词人的主观感受。韶光，指春光，也指美好的时光。“韶光”后紧跟“憔悴”，既是当初良辰美景不再的憔悴，也暗指美好年华过去年老貌衰的憔悴。于是，这接着的三个字“不堪看”，才有力道，让人觉得很沉重。

上阕由景写到人，相互关联，下阕由景入情。“细雨梦回鸡塞远”，一个“梦”字，多少迷离。淅淅沥沥的秋雨声中，一梦醒来。梦中的良人依然远在边塞，只能在梦里见到。“小楼吹彻玉笙寒”，风雨中，高楼里，玉笙声起，那人整整吹奏了一曲。吹笙时，因吹得太久，玉笙里的簧片都凝水了，笙寒声咽，渐渐地，声音也哑了，映衬了吹笙人的寂寞。这两句是千古传唱的名句，不仅因为它们对仗工巧，更因为两句之中有写实的小楼，有写虚的鸡塞，有想到的梦境，有听到的笙曲，都饱含着深情。“多少泪珠何限恨”，流不完的泪，诉不尽的恨，这一句很明显地写出了遗憾，因为自己的爱人在边关，一个人寂寞冷清。最后三字“倚阑干”，又从情感的直接表露转到了实际的情景，仿佛电影的最后一个镜头，是人物的剪影，而那思念的情意已经铺满了纸。

文史链接

吹皱一池春水

李璟是五代时期南唐的中主，在位十九年。他在做南唐皇帝的时候，一开始励精图治，所以南唐在当时发展很快。他好读书，多才艺，尤喜欢词这种文体。皇帝和大臣们经常饮宴填词，而且词也很适用于宴饮时歌唱，于是南唐出了一批词人。后来人们说到词，常常会把西蜀（我们之前提过的“花间派”词人大多是西蜀的）和南唐并称。

据说，有一天李璟和他的大臣冯延巳在一起聊天。突然，李璟貌似不经意地对冯延巳说：“吹皱一池春水，干卿何事？”“吹皱一池春水”是冯延巳《谒金门》中的一句词，这里“干卿何事”直接的意思就是“干你什么事啊”，这里是半开玩笑地问他。春水被风吹起了涟漪，你为什么这么关心啊？还非得写到词里面来？冯延巳对着李璟恭恭敬敬地说：“未若陛下‘小楼吹彻玉笙寒’也。”意思是我这一句虽然很多人夸赞，还是比不上陛下您的一句“小楼吹彻玉笙寒”啊。这里的对话涉及君臣的两首词。两首都是佳作，“吹皱一池春水”，是多么体贴入微的描写。如果你看过古代的画，比如说宋朝人的画，那里面的水纹就是这样微微皱起来的线条，你再品味这句描写，一定会觉得这个“皱”字真是巧妙。“小楼吹彻玉笙寒”也写得很婉转，没有直接写人，而是写声音，但在不经意间传达了那份思念与哀愁。

这段君臣对话，很多人都说是李璟和冯延巳，但也有人说是李璟和成幼文。成幼文也是李璟的大臣，但是他没有冯延巳那么有名。时代久远了，词的历史上张冠李戴的事情常常会发生，这也是种常态了。

思考讨论

这首词中的“细雨梦回鸡塞远，小楼吹彻玉笙寒”被很多人称颂，你觉得这是为什么？

谒金门

冯延巳[1]

风乍[2]起，吹皱一池春水。

闲引[3]鸳鸯香径里，手挼[4]红杏蕊。

斗鸭[5]阑干独倚，碧玉搔头[6]斜坠。

终日望君君不至，举头闻鹊喜。

注释

[1] 冯延巳（903—960）：又名延嗣，字正中。五代广陵（今江苏扬州）人，南唐宰相。词集名《阳春集》。 [2] 乍：忽然。 [3] 闲引：无聊地逗引着玩。 [4] 挼（ruó）：揉搓。 [5] 斗鸭：古时以鸭相斗为欢乐。斗鸭阑和斗鸡台，都是官僚显贵取乐的场所。也有解释为雕着斗鸭图案的栏杆。此处采用后者。 [6] 碧玉搔头：即碧玉簪。

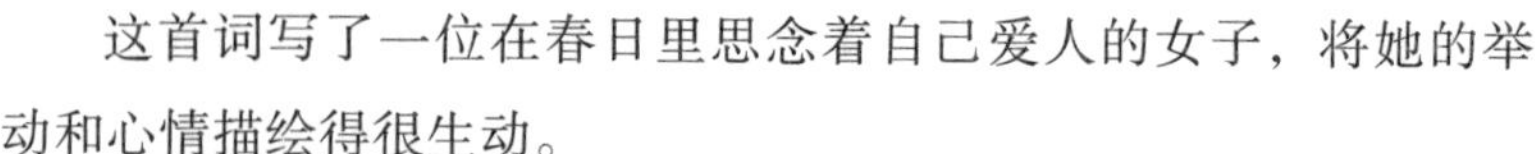

赏析

这首词写了一位在春日里思念着自己爱人的女子，将她的举动和心情描绘得很生动。

上阕一开始就是名句“风乍起，吹皱一池春水”，这句是双关，本来平静的水面，一阵风突然吹过，池塘水波粼粼，那水纹仿佛是一层层皱起来的。但透过这表面的景色，我们还可以读出词中女子心中的不平静。正是春回大地的时候，可是爱人远行在外，女子孤独一人,真是寂寞苦闷。于是接下来就写“闲引鸳鸯香径里，手挼红杏蕊”，一个“闲”字，把这种淡淡的愁思点出来。鸳鸯是水鸟，雌雄成双成对，在诗歌中经常作为爱情的象征。这两句用了倒装的手法，女子用手揉搓着红杏的花蕊，引逗着鸳鸯，徘徊在园中的小路上。做这件事给她带来了快乐，可是成双成对的鸳鸯在面前，自己却是孤单一个人，于是难免想起自己的另一半。

下阕接着写女子的活动。逗引了鸳鸯后，就倚在栏杆上休息。这里的“斗鸭”有人认为就是看斗鸭，有人认为是看水中的鸭子嬉戏，也有人认为是栏杆上的斗鸭雕饰。我们采用最后一种。女子累了，很是慵懒地独自靠着雕有斗鸭的栏杆，头上的碧玉簪子斜插着，仿佛快掉下来。看上去百无聊赖，可是她的心却一点没闲着，一直在思念着爱人。于是，就有了最后两句，“终日望君君不至，举头闻鹊喜”，从早到晚一直思念的心上人在哪里？他何时才会回到自己身边？喜鹊鸣叫，她仰起头，想到喜鹊报喜的传说，于是勾起了满腹期待。可是，这个期待会实现吗？还是会落空呢？谁也不知道，这是一个开放式的结局。同样，这首词也是用镜头定格的方式来结束全篇，末句称得上是整首词的画龙点睛之笔。

文史链接

爱打仗的冯延巳

冯延巳一直是温文尔雅的文人形象，为什么说他爱打仗呢？不是他本人上战场，而是他积极推动了两次战争的爆发。当然，都是局部战争，一次是南唐与闽，一次是南唐与楚。

冯延巳少年时多才多艺，南唐第一任皇帝李昪对他青眼有加，让他一直陪着自己的儿子，也就是后来的中主李璟。李璟登基后一段时间，冯延巳就登上了宰相的宝座。与南唐并存的政权中，有一个叫做闽国。闽王骄奢淫逸，他的弟弟上折子劝他，可是闽王不听，反而将他弟弟骂了一顿。闽王弟弟很生气，就跑到自己属地上立刻称帝了。两虎相争，两败俱伤，于是就有了坐收渔翁之利的人。南唐中主李璟在冯延巳的建议下，以闪电战的速度占领了闽国的福州城。可惜，闽国的实际控制者却跑去跟吴越国求和了，得到了吴越国的帮助，最后福州城落到了吴越国的手上，南唐花了力气最后却两手空空。

后来冯延巳再次担任宰相的时候，又一次鼓吹着发动战争，不过这次对象换成了楚国。楚国在现在的湖南境内。楚国的情况和上次闽国很相似，也是皇帝兄弟反目，不同的是南唐大军这次是受邀请而去。可是冯延巳对不是自己国家的百姓很不爱惜，军士们转眼变成了强盗，把楚国席卷一空，据说连树上的果子都摘光了。楚地的老百姓对南唐军队恨之入骨，南唐统治楚地只维持了一年，就被赶出了楚国地界。

别的不论，就这两场战争来说，冯延巳作为宰相真不算成功。

思考讨论

词人写水为什么用“皱”这个字？有什么妙处吗？

浪淘沙

李　煜[1]

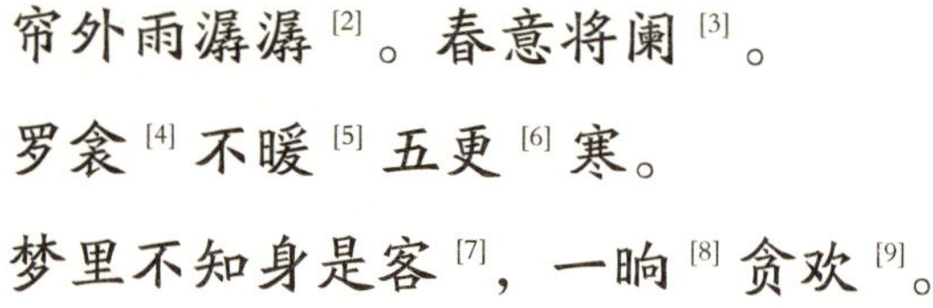

帘外雨潺潺[2]。春意将阑[3]。
罗衾[4]不暖[5]五更[6]寒。
梦里不知身是客[7]，一晌[8]贪欢[9]。

独自莫凭栏。无限江山。
别时容易见时难。
流水落花春去也，天上人间。

注释

[1]李煜(937—978):原名李从嘉，字重光。南唐后主。擅作词，与其父李璟的词一同收入《南唐二主词》。　[2]潺潺：形容雨声。　[3]将阑：即将衰残。也有版本作“阑珊”。　[4]罗衾(qīn):丝绸被子。　[5]不暖：不暖和。还有的版本作“不耐”，意思是“受不了”。　[6]五更:指的是凌晨三点到五点这段时间。[7]身是客:指被拘汴京，形同囚徒。　[8]一晌(shǎng):一会儿，片刻。　[9]贪欢：指贪恋梦境中的欢乐。

赏析

这首词的上阕，一开始就从听觉的角度写了潺潺春雨，春雨过后尽是落花，春天即将过去了，这是多么令人感伤啊。“罗衾不暖五更寒”，凌晨时分醒过来，不仅是因为春夜寒冷，更是因为心中绝望，觉得人生凄凉，所以心中阵阵发寒。接下来的两句，“梦里不知身是客，一晌贪欢”，实在让人唏嘘。梦中是美好的，仿佛还是往日自己的南唐，在宫中，依旧是夜夜笙歌，可是梦醒了，是被那帘外的雨声惊醒了的吗？或许吧，可是那片刻的美好不是更映衬了如今的凄凉吗？

于是下阕中词人就在首句写了“独自莫凭栏”。不要凭栏，是因为先有了凭栏的念头，再劝自己不要做。为何要凭栏？是因为可以隔着山水去眺望自己的南唐吗？可是望见了又如何？自己已经是阶下囚了。“别时容易见时难”，七个字说来轻巧，却将人世间聚少离多的悲伤写得那么透彻。“流水落花春去也”与上阕“春意将阑”遥相呼应。“天上人间”是过去与现在的对比，也是欢乐和痛苦的对比。李煜的词在不经意间往往会触动人心，原因在于他抒写的是自己的心意，而这种本心（比如离别之苦等感情）是世人共有的，所以他的词仿佛就是为读者所作，读他的词仿佛就是在读自己的心。

文史链接

大周后与小周后

李煜的皇后叫做大周后，名字叫做娥皇，她能歌善舞。据说，唐代的《霓裳羽衣曲》到五代的时候，因为兵荒马乱，已经失传了。李煜在无意中得到了残谱，可是曲不成曲，调不成调。大周后把残谱拿过去，细细揣摩，然后删繁就简，使《霓裳羽衣曲》变得清悦可听。李煜琴棋书画也样样精通，遇到这样的皇后自然觉得是上天恩赐。他和大周后的关系一直很好，可惜，佳人年纪轻轻就得了重病，大夫束手无策，佳人香消玉殒的时候，李煜非常悲痛。

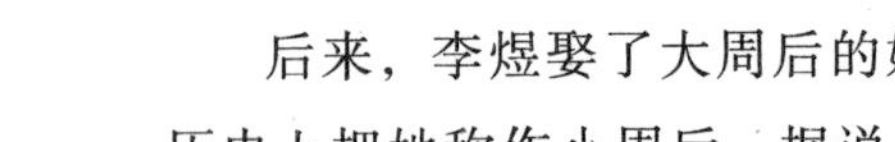

后来，李煜娶了大周后的妹妹做妻子。她的名字叫做女英，历史上把她称作小周后。据说，女英长得比姐姐还要楚楚动人。李煜在娥皇生病的时候就对女英很好，有时候还偷偷和女英见面，甚至把女英和自己约会的场景写进了词里。有一次，女英进宫去看望姐姐，大周后无意中问她什么时候进宫的，女英就说其实已经来了好几天了。大周后死前对李煜和自己妹妹的感情已经有所觉察，心里对他是很有怨言的。据说到最后，她在死前的那一刻也没有回转头再看一眼自己的夫君。

思考讨论

请列举这首词中的几个韵脚。

虞美人

李　煜

春花秋月何时了[1]，往事知多少。
小楼昨夜又东风，故国不堪回首月明中。
雕阑玉砌[2]应犹[3]在，只是朱颜改[4]。
问君[5]能有几多愁，恰似一江春水向东流。

注释

[1]了：了结，完结。　[2]雕阑玉砌：这里是指远在金陵的南唐故宫。砌，台阶。　[3]应犹：一作“依然”。　[4]朱颜改：指所怀念的人已衰老。　[5]君：作者自称。

赏析

这是一首悲伤的词，李煜在写完这首词之后就被赐死了，这首词成了他的绝唱，但同时也是词史上呕心沥血的绝唱！

词的上阕以问开始，下阕以答结束。读这首词时，仿佛能感受到那颗凄楚的词心，其中还有激越的音调。“春花秋月何时了”，春花秋月多么美好，词人却问它何时结束。是因过去的美好岁月，还是因为现在景色依旧只是处境不同而不堪忍受？“往事知多少”，过去的岁月中有那么多的回忆。词人回忆起歌舞生平，还回忆起国破被俘。他住在小楼上，望着明月，一夜东风带来春天的信息，却引起词人“不堪回首”的嗟叹。因为物是人非了，他过去是南唐的君主，现在却是阶下囚。

下阕写了自己回忆中的故国。那里精美的宫殿想必都还在吧？只是曾经拥有它的人如今已经老去了啊！那种悲愁是真切而又深刻，于是词人用一个比喻“一江春水向东流”，写出了自己的愁思长流不断，无穷无尽。这一句，以水写愁，常被后人称赞。因为这个比喻极富感染力，将愁思写得很形象。词人没有明写是什么样的愁，但恰恰因为这样，读者在读词的时候更容易取得心灵上的感应，并借用它来抒发自己的情感。

文史链接

李煜之死

李煜当了宋朝的俘虏，他的小周后也跟着到了开封。据说，小周后经常被宋太宗用各种借口召到宫里去，回来以后，她总是又哭又骂，每逢这时候，李煜只能紧紧握住自己的拳头，因为他知道自己保护不了妻子，恐怕内心涌起的是深深的耻辱感和无力感吧。

有一天，他过去的臣子徐铉来看他，李煜很高兴，就和他聊了很多，说着说着，就聊起了往事。当年李煜还是君主的时候，他有两个大臣，一个是潘佑，还有一个是李平，这两人总是劝他要好好治理朝政，他那时还看不惯把他们杀了。这次聊天的时候，李煜对那件往事很是后悔，就摇头说了一句："唉，想当初真不应该杀了潘佑、李平啊。"没想到，这话很快就传到了宋太宗的耳朵里。不久，李煜的《虞美人》也传到了宫中，宋太宗一看很生气：看来李煜还是念念不忘自己的故国，难不成还想造反啊！

那年的七夕，银河依旧横贯天空，牛郎织女星仿佛也比平日亮了很多。李煜虽然已经是阶下囚，但他没忘记自己的生日。正在为自己庆祝生日的时候，宫里送来了一杯酒，酒里下了"牵机药"。李煜喝了以后，腰不能伸直，弓得像一只虾，头和脚几乎都能相碰。就这样，风流倜傥的一代词中皇帝悲惨地死去了，死在了生日当天，那一年，他四十二岁。他死后，小周后悲痛欲绝，不久忧伤而死。

思考讨论

从作品看，这首词是首好作品，但从作为一国君主来考察，李煜肯定不是个好皇帝。读了他的一些作品后，你是怎么来看待李煜的？

正编（上）　明月当空——北宋词

相思令

林　逋[1]

吴山[2]青，越山[3]青。
两岸青山相送迎，谁知离别情？

君泪盈，妾泪盈。
罗带[4]同心[5]结未成，江头潮已平。

注释

[1]林逋（967—1028）：字君复，浙江人。宋仁宗赐谥“和靖先生”。　[2]吴山：钱塘江北岸的山，古代曾属于吴国。[3]越山：钱塘江南岸的山，古代曾属于越国。　[4]罗带：丝绸编织的带子。　[5]同心：这里指同心结，即用罗带打成的心形的结，通常作定情信物。

赏析

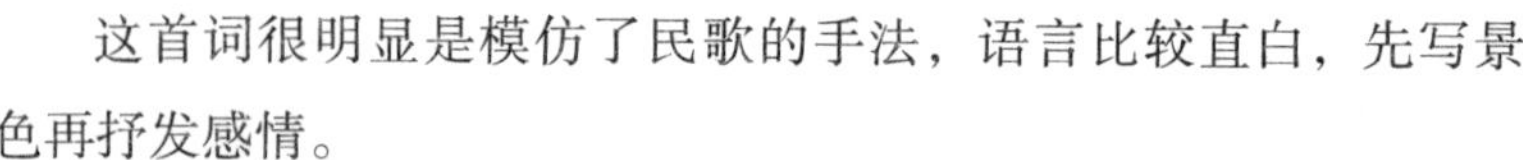

这首词很明显是模仿了民歌的手法，语言比较直白，先写景色再抒发感情。

上阕“吴山青，越山青”，用两个“青”字，色彩鲜明，这是江南特有的青山胜景。这里的吴山、越山看上去离得很远，其实说的就是钱塘江两岸。吴越之地自古山明水秀，风光宜人。山水依旧，可是欣赏山水的人却是换了一拨又一拨，它们阅尽了人间的悲欢。“谁知离别情”，这些山知道离别的伤感吗？这里用了拟人的手法，仿佛在埋怨青山不懂离别的伤心，借自然无情衬托出人生有恨，使一开始还比较明快的感情转向深沉，又巧妙地表明这是一首送别词。

下阕开始写人。“君泪盈，妾泪盈”，临别之际，泪眼相对，哽咽无语。“罗带同心结未成”，含蓄地写出了他们伤心的缘由。古代男女定情时，往往用丝绸带子打成一个心形的结，叫做“同心结”。“结未成”，说明他们的爱情遇到了困难，两人被迫分开了。他们心心相印却不能在一起，只好在江边洒泪而别。末句“江头潮已平”，潮水平息，船儿就要起航了。那无穷的遗憾，随着一江春水，无穷无尽。

后来成为隐士的林逋在他的青年时期是否也遇到过美好的爱情，我们不得而知，但至少，这首《相思令》让人看到了一颗柔软的心。

文史链接

“梅妻鹤子”林和靖

林和靖是谁？他就是这首词的作者林逋。如果我们不读这首词，光看历史上对林和靖的介绍，恐怕不会相信这样婉转的小词是他写的，因为他在历史画册上是一个不沾凡尘的隐士形象。

杭州西湖边有座孤山，人们常常去孤山赏梅。那里有放鹤亭以及林和靖先生墓，林逋就长眠在那里。孤山的梅花因为他而出了名，他的“梅妻鹤子”佳话至今流传。

林逋出生在杭州的一个儒学世家，早年在长江、淮河一带游历，后来就隐居在杭州西湖孤山之下。他平日喜欢种梅花、养仙鹤，这样的爱好是很风雅的。传说他没有妻子，而把梅花当做妻子，把仙鹤当成儿子，故人们称他是“梅妻鹤子”。林逋爱梅，他的梅花诗非常有名。最令人称赞的就是“疏影横斜水清浅，暗香浮动月黄昏”两句，不仅把幽静环境中的梅花倩影写活了，而且连神韵都描绘出来了。大文学家苏轼还把林逋的这首诗作为咏物抒怀的好例子让儿子苏过学习。

据说宋朝被元灭的时候，江南发生了很惨烈的掘墓事件。不是私人偷盗，而是元代皇帝指使一个叫杨琏真伽的僧人光明正大地盗掘宋皇陵。林逋因为生前很受皇帝的赏识，他的墓也惨遭不幸，可是里面只有砚一方、笔一支，陪伴着这位曾经的隐士。

思考讨论

“吴山青，越山青”，这样浅白的语言你喜欢吗？结合这首词，谈谈你的看法。

苏幕遮

范仲淹[1]

碧云天，黄叶地，秋色连波，波上寒烟翠。
山映斜阳天接水，芳草无情，更在斜阳外。

黯[2]乡魂，追[3]旅思[4]。
夜夜除非[5]，好梦留人睡。
明月楼高休独倚，酒入愁肠，化作相思泪。

注释

[1]范仲淹（989—1052）：字希文，谥号“文正”。北宋吴县（今江苏苏州）人。著名政治家、思想家、军事家和文学家。 [2]黯：形容心情忧郁。 [3]追：追随，可引申为纠缠。 [4]旅思：羁旅之思。 [5]除非：除了这个，没有别的。

赏析

这首词写乡思旅愁，黯然销魂，情感深挚。

词的上阕“碧云天，黄叶地”二句，抬头望天，低头见地，上为蓝，下为黄，两种色调已是一幅苍莽秋景图。接下来写“秋色连波，波上寒烟翠”，浓郁的秋色连绵不尽，黄蓝两色不止，眼前还有一片绵邈秋波。色泽也是蓝绿，然而不同于天色，秋波尽处，水天相接，笼罩秋波的是空翠而略带寒意的秋烟。碧云，黄叶，绿波，翠烟，层层叠叠，色彩斑斓。“山映斜阳天接水”一句将青山摄入画面。“斜阳”不仅点出所写时间是薄暮时分的秋天，而且为之前所有的冷色镀上了一层属于阳光的暖色，即便是即将西沉的斜阳，即便那暖中带着冷，但毕竟还是有了一点暖意。接下去就用了拟人手法，“芳草无情，更在斜阳外”，由眼中实景转为想象，埋怨“芳草”无情，正可见作者多情、重情。

下阕直接将自己的心思和盘托出，“黯乡魂，追旅思”，词人心头萦绕不去、纠缠不已的是怀乡之情啊。“夜夜除非，好梦留人睡”，这一句是说只有在美好梦境中才能暂时忘记乡愁。“除非”说明除此之外没别的办法了。可是天涯孤旅，不是夜夜都有“好梦”，乡愁也就无计可消除了。

“明月楼高”，是说自己夜间因为乡愁而睡不着便想着登楼远眺，排遣一下愁思，可是抬头看到了团团明月，反而更加思念亲人，于是词人发出“休独倚”的感叹，还是不要一个人在高楼上看月亮了吧，那实在是太孤单了。最后两句写词人试图借酒消愁，可是没想到这个努力失败了，因为“酒入愁肠，化作相思泪”。词人实在忍不住这种思念的愁苦，喝了酒以后真情流露，于是就流下了眼泪。

文史链接

范仲淹和庆历新政

范仲淹小时候父亲就死了，他跟着母亲另嫁到一个姓朱的人家。少年时，范仲淹住在一个庙宇里读书，每天饿了就只能熬点稀薄的粥充饥，可是他没有放弃学习，非常刻苦。有时候，读书到深更半夜，实在困倦得睁不开眼，就用冷水泼在自己脸上，那种冷刺激得人直打哆嗦，倦意消失了，他就继续攻读。后来，他终于成了一个很有学问的人。

后来，宋仁宗发觉朝廷里官员太多，执行效率却很低，财务又比较吃紧，他希望做个励精图治的明君，于是就召见范仲淹，要他提出治国方案。范仲淹知道朝廷弊病太多，不可能一下子都改掉，准备一步一步来。可是，性急的宋仁宗正在改革的兴头上，就一再催促，范仲淹没办法，只好一口气提出了十条改革措施。那一年，是庆历三年（1043）。后来人们就把这次改革称为“庆历新政”。

为了推行新政，范仲淹和另外一位大臣富弼（bì）到各路（路是宋朝行政区划的名称，类似我们现在的省）去选负责该地区改革监察官的人选。有一次，范仲淹在官署里审查一份监察官的名单，发现有一个贪赃枉法的人，就提起笔来把他的名字勾掉了。在他旁边的富弼看了，心里不忍，就对范仲淹说：“范公，你这笔一勾，可害得这一家子都要哭鼻子了呢。”范仲淹没有接受富弼的求情，而是严肃地说：“要不让这一家子哭，那就害得这人手下这一路的百姓都要哭了。”富弼听了这话，觉得他说的很对，心里很佩服范仲淹的见识高明。

可是，因为这些新政触犯了一些皇亲国戚和权贵大臣的利益，他们都很反对，推行的阻力很大，范仲淹没办法，只好自己跟宋仁宗说：我还是到陕西那边去防守边境吧。宋仁宗那时心思也动摇了，于是范仲淹一走，这次改革就停止了。

思考讨论

这首词上阕写秋景，下阕写离情，请试着分析上下阕之间是如何相承接的。

天仙子

张　先[1]

时为嘉禾小倅[2]，以病眠，不赴府会。

水调[3]数声持酒听，午醉醒来愁未醒。
送春春去几时回？临晚镜[4]，伤流景[5]，
往事后期[6]空记省[7]。

沙上并禽[8]池上暝[9]，云破月来花弄影[10]。
重重帘幕密遮灯，风不定，人初静，
明日落红[11]应满径。

注释

[1] 张先（990—1078）：字子野，乌程（今浙江湖州吴兴）人。北宋著名词人。 [2] 嘉禾小倅（cuì）：嘉禾，宋时郡名，即现在浙江嘉兴。小倅，小副官，这里指判官。 [3] 水调：曲调名，相传隋炀帝开凿汴河时自制《水调歌》。 [4] 临晚镜：揽镜自照而感伤衰老。 [5] 景：如流水般消逝的光景。 [6] 往事后期：以往的欢情，以后的期约。后期，今后的期遇。 [7] 空记省（xǐng）：白白留在记忆中。记，记忆，思念。省，醒悟，明白。 [8] 并禽：成对的鸟儿，这里指鸳鸯。 [9] 暝：天黑，日暮。 [10] 花弄影：花在月光下摆弄它的身影。这是对花的拟人化描写。弄，摆弄。 [11] 落红：落花。

赏析

这首词有个小序，点明词人当时作为一个判官，因为身体的原因，没有去参加府中集会。词人在家里听歌饮酒，想到自己已经年纪大了，美好的时光一去不复返，于是就写下了这首词。

上阕开始三句写词人饮着美酒听着《水调歌》，午间喝醉后现在已经醒来，可心中的愁苦却不曾排遣。送走了春天，春天什么时候能再回来？前后两个“春”字，有不同涵义：第一个“春”指季节，指大好春光；第二个“春”不仅指年华易逝，还暗含对往事的追忆和惋惜。接下来写到了傍晚，词人揽镜自照，发现自己已经老去，不由得惋惜自己的青春年少一去不复返了。“晚”，暗含着自己已经处在人生较晚的年龄。似水流年，往日欢情，今后的期遇相约，虽记得很清楚，可后来却如同云烟一般消散了，记得又有什么用呢？

下阕笔锋一转，趁着暮色到小园中，天色将暗，词人将视线转向了沙滩上成双成对栖息的水鸟，也许是鸳鸯吧。看着鸳鸯，又看到了池水，天色已晚了，这个晚上原本该是有月亮的，可是云似乎也不少。一阵风过，吹走了流云，刹那间云开月出，月光下花儿被风吹得微微颤动、婆娑起舞，仿佛在顾影自怜。“云破月来花弄影”是名句，一个“弄”字，将花的娇柔写得很生动。词人经过一天的忧伤苦闷，居然在晚上欣赏到即将流逝的春色盎然的一面。起风了，词人的笔下接得很紧，接着写“风不定”，外面有风而帘幕不拉起来，灯自然会被吹灭，所以作者进了屋子就赶快拉上帘幕，严密地遮住灯焰。可是风更大了，灯焰在摇摆跳跃，远处的人声渐渐地安静下来了。联系小序，或许府会的歌舞也停歇了吧。风那么大，词人想着明天的小路上一定是落红成阵了。春天终究是快要过去了，自己也是迟暮的年纪了，带有种怜惜的意味。

文史链接

张先的绰号

（一）“张三中”不如“张三影”

张先有首《行香子》词，里面写道“心中事，眼中泪，意中人”，别人觉得很不错，就给他取了个绰号“张三中”。张先得知后，不仅没生气，反而大笑，说：“为什么不干脆叫我‘张三影’呢？”大家觉得很奇怪，就都看着张先。张先捻捻胡须，很是得意，缓缓说道：“‘云破月来花弄影’，‘娇柔懒起，帘压卷花影’，‘柳径无人，坠飞絮无影’，这‘三影’，是我平生最得意的句子。”后来人们就把他叫做“张三影”了。其实，张三影对“影”字很偏爱，何止这三处，有“影”的诗句还有“隔墙送过秋千影”，“无数杨花过无影”

等等。为什么张先这么喜欢“影”字？或许这个字放在诗词中，会平添一股朦胧美吧。

（二）云破月来花弄影郎中

有一次，尚书宋祁有事找张先。一到张府，宋祁就叫门口的小厮传话：“本尚书打算见‘云破月来花弄影郎中’，请问他在吗？”张先听说了，马上走出来，一边笑一边说：“哈哈，莫非是‘红杏枝头春意闹尚书’到了？”原来，宋祁也有名句，那就是“红杏枝头春意闹”。两个人都在官职前面加上了对方的名句，很风趣，又很巧妙地称赞了对方。

（三）桃杏嫁东风郎中

张先一生平顺，虽然没有做高官，可是也没有遭到贬谪。宋朝的皇帝对这些大臣都很优待，所以张先日子过得很不错。

他是个很幽默的人，留下了很多风流故事。据说他年轻时，和尼姑庵的一位小尼姑相互产生了情意。老尼姑很严厉，把小尼姑关在池塘中央的一座小阁楼上。为了相见，夜深人静时分，张先就划着小船过去，小尼姑放下梯子让他上楼，两人好不容易才能见一面。结果事情被发现了，小尼姑被罚，两人再也不能相见。后来张先写了《一丛花令》，里面写道“沉恨细思，不如桃杏，犹解嫁东风”。

写完这首词大概二十年后，张先去拜访欧阳修。虽然欧阳修小张先十七岁，但一直很喜欢这首词，也一直想结识张先。这回是张先主动登门拜访，欧阳修在屋里听到小厮通报，高兴地顾不上倒穿着鞋子，就匆匆忙忙地奔出去迎接，边走边笑道：“哎呀，‘桃杏嫁东风郎中’到了，快请进！快请进！”就这样，张先又多了一个“桃杏嫁东风郎中”的绰号。

思考讨论

这首词中的“云破月来花弄影”为什么那么受人称赞？

浣溪沙

晏　殊[1]

一曲新词[2]酒一杯，去年天气旧[3]亭台。
夕阳西下几时回[4]？

无可奈何[5]花落去，似曾相识[6]燕归来。
小园香径[7]独徘徊[8]。

注释

[1]晏殊（991—1055）：字同叔，抚州临川（今江西南昌）人。北宋著名词人，主要作品有《珠玉词》。　[2]新词：刚填好的词，这里指新歌。　[3]旧：旧时。　[4]几时回：什么时候回来。　[5]无可奈何：不得已，没有办法。　[6]似曾相识：好像曾经认识。　[7]香径：带着幽香的园中小径。　[8]徘徊：来回走。

赏析

这是晏殊词中最有名的一首。上阕一开始“一曲新词酒一杯，去年天气旧亭台”写了对酒听歌的场景，很轻松的语气，很轻松的字眼，很轻松的心情，带着安闲的意态。渐渐地，夕阳西下了，词人看着这金乌西坠的景色，不由得开始想时间流逝得太快了。去年仿佛也是这样的春天，这样的亭台，这样的清歌美酒。可是这看似一样的情景，还是不一样了啊，因为又过去了一岁。岁月悄然流逝了，人事怎么会没有变化呢？夕阳西下，是眼前景，但词人表现了对美好景物的留恋。夕阳西下，无法阻止，只能寄希望于它次日东升，可是时光的流逝、人事的变更，就如东流的水一般再也无法回来。“几时回”三字，看起来是一个问句，但细细体会，这里面有一种知道它即将离去，可是又希望它早点回来的婉转之情。

下阕出现了一组对仗的名句。“无可奈何花落去，似曾相识燕归来。”花凋落，春天过去，时光流逝，这都是不可抗拒的自然规律，即使惋惜流连也无济于事，所以用的是“无可奈何”。然而它的对句却给人一种新的希望。暮春时节，感受到的并不只是无可奈何的凋零，还有令人欣慰的重现。你看，那翩翩归来的燕子不就像是去年曾经在这里安巢的旧时相识吗？联系上阕的“几时回”，这里仿佛就已经给出了答案，很快的，你看，已经有回来的了，所以希望还在。这一句包含着某种生活哲理：我们无法阻止一切必然要消逝的美好事物，但在看待它消逝的同时仍然要看到有美好事物重现。只不过这种重现不是重复，而是“似曾相识”。所以这种希望里面又有着一点淡淡的伤感和惆怅，毕竟原来那个已经消失了。最后一句“小园香径独徘徊”，词人独自一人在花间踱来踱去，心情无法平静。

文史链接

“似曾相识燕归来”的故事

如果说有天才的话，晏殊绝对算得上一个。想当年，十四岁的晏殊与来自全国各地的千名考生同时入殿参加考试，他从容应试，援笔立成，受到宋真宗的嘉赏，赐同进士出身。要知道古代有一句话叫做“五十少进士”，意思就是五十岁考上进士还算是年轻的呢！想想看，晏殊还是一个小小少年啊！所以晏殊很受皇帝的赏识，后来做到了宰相。

晏殊喜欢填词，有一天突然想到了一句“无可奈何花落去”，觉得很不错，可是再接下去写什么呢，想了好几句都觉得不合适，总觉得没把这句的好给体现出来。途经扬州的时候，他对江都县尉王琪在大明寺的题诗十分欣赏，于是特地请他吃饭。筵席后，两人在花园中闲步。时值春晚，晏殊望着夕阳下的花木，有感而发：“不瞒你说，我有句‘无可奈何花落去’，几年来一直没给它对出下句呢！”王琪想了想，抬头手指天空中的飞燕说：“大人，我有个想法，你觉得‘似曾相识燕归来’这个对句怎么样？”“‘似曾相识燕归来’，‘似曾相识燕归来’，嗯，好！好！”晏殊听了，略一思索，不由得拍手叫绝。就这样，千古名联诞生了。

思考讨论

你最喜欢这首词中哪一句？为什么？

木兰花

宋　祁[1]

东城渐觉风光好，縠皱[2]波纹迎客棹[3]。
绿杨烟外晓寒轻，红杏枝头春意闹。

浮生[4]长恨欢娱少，肯爱[5]千金轻一笑[6]。
为君持酒劝斜阳，且向花间留晚照。

注释

[1] 宋祁（998—1061）：字子京，安州安陆（今湖北安陆）人。北宋文学家。　[2] 縠（hú）皱：即皱纱，有褶皱的纱。[3] 棹：船桨，此指船。　[4] 浮生：指漂浮无定的短暂人生。[5] 肯爱：岂肯吝惜，即不吝惜。　[6] 一笑：特指美人之笑。

赏析

这首词是一首很喜悦的词，读着它，仿佛心里都能开出花来。

词的上阕从游湖写起，描绘出一幅生机勃勃、色彩鲜明的早春图。"风光好"三个字总起。"縠皱波纹迎客棹"把水波粼粼的样子写得很生动。"縠皱"是一个比喻，是说湖水像有褶皱的纱一般。"绿杨烟外晓寒轻"一句把春天到来后杨柳如烟的朦胧景色写得很美，虽是清晨，寒气却很轻微。一个"轻"字，既是寒气的轻，也是柳芽的轻，更是春天万物生发时的那种微微萌动的轻，这是一种很微妙的感觉。"红杏枝头春意闹"一句写的场面很盛大，这一句被人广为称赞。词人用拟人的手法，着一“闹”字，将烂漫的大好春光描绘得活灵活现、呼之欲出，甚至还可使人联想到蜂蝶飞舞、春鸟和鸣的场景。

到了下阕，“浮生长恨欢娱少，肯爱千金轻一笑”两句比较鲜明地提出要及时行乐。人生苦短，总是觉得欢乐的时候太少。“一笑”化用“西北有佳人，一笑倾人城”的句子，点明词人携妓游春时的心绪。最后两句，词人提议一起游玩的朋友们举杯挽留夕阳，请它在花丛间多停留些时候。这里用了拟人的手法，将词人对美好春光的留恋之情表达得既婉转又有趣。

文史链接

“小宋”的姻缘

宋祁在做翰林学士的时候，正是大好青年，眉清目秀，很多人暗暗爱慕他。有一次他经过繁台街的时候，有数辆宫车疾驰而来。因为仓促来不及回避，于是他就肃立一旁。车子经过他的时候，他忽然清清楚楚听见车里一个宫女很惊讶的声音：“咦？那不是小宋吗？”宋祁也很惊讶，但因为是宫里面的女子，也不敢多想。

回到住的地方，他还是觉得自己今天被美女喊了名字，虽然是个简称，但也是一段佳话，于是就写了一首《鹧鸪天》，里面将李商隐的两句“刘郎已恨蓬山远，更隔蓬山几万重”放了进去，因为那女孩是宫里的，外面的人怎么可能见到呢。很快，这首词传入宫里，宋仁宗读后，听说了这件事，就追问那天是哪个宫女叫了“小宋”。宫女们不敢隐瞒，那位宫女只好站起来恭恭敬敬地说：“之前陛下您在宫内设宴的时候，召见翰林学士，左右内臣都喊他‘小宋’。那天我在车中偶然看见他，就忍不住叫了一声。”于是，宋仁宗就召见宋祁。宋祁吓了一跳，以为得罪了皇帝。没想到仁宗笑着说：“蓬山不远。

你看，你觉得她很难得到吧？现在我把她赐给你。”皇帝乐得做一个媒人，于是这段佳话更圆满了。

思考讨论

“绿杨烟外晓寒轻”、“红杏枝头春意闹”和“且向花间留晚照”三句中，你更喜欢哪一句？说说理由。

蝶恋花

欧阳修[1]

庭院深深深几许[2]，杨柳堆烟[3]，帘幕无重数。
玉勒[4]雕鞍[5]游冶处[6]，楼高不见章台[7]路。

雨横风狂三月暮，门掩黄昏，无计留春住。
泪眼问花花不语，乱红[8]飞过秋千去。

注释

[1]欧阳修（1007—1072）：字永叔，号醉翁，晚年又号“六一居士”。谥号文忠，世称欧阳文忠公。吉州永丰（今江西吉安永丰）人。北宋卓越的政治家、文学家、史学家。　[2]几许：多少。许，估计数量之词。　[3]堆烟：形容杨柳浓密。　[4]玉勒：玉制的马衔。　[5]雕鞍：精雕的马鞍。　[6]游冶处：指歌楼

妓院。 [7]章台：汉长安街名。《汉书·张敞传》有“走马章台街”语。唐许尧佐《章台柳传》，记妓女柳氏事。后来就把章台作为歌妓聚居地代称。 [8]乱红：凌乱的落花。

赏析

这是一首伤春词，上阕一开始就写“庭院深深”的境况，“深几许”是个问句，在这个问句里面含着埋怨之情。接下来转向“杨柳堆烟”的风景，写出院子的安静，“帘幕无重数”，写闺房总是关着，隔着重重帘幕。这是对大好春光的浪费，也是对美好青春的浪费。叠用三个“深”字，暗示了女主人公虽然生活环境很好，却孤身独处，而且心事沉沉、欲诉难说。李清照读了欧阳修这首词后，对第一句称赏不已，还用这一句做开头，写了好几首词。为什么女主人公心事这么深沉呢？原来是她牵挂的那个人在歌楼妓馆花天酒地呢。

下阕三句写了狂风暴雨，这种天气下花朵被无情摧残，正值大好青春的自己被关在这重重深院里，而心中那个人却在外流连，这样绝望的心情和谁说呢？只能独自流泪。“门掩黄昏”四句比喻年华空逝，人生易老。“泪眼问花”写出了女子的痴情与绝望，其实问花就是自问。“花不语”是拟人，花不是不会说话，而是不知道说什么好，这花这人是一样的命运，两处相对，双双无语凝噎。“乱红飞过秋千去”，纷乱的飞花飞过曾经的嬉戏之地，纷纷飘去。泪光盈盈之中，想到人或许也和花一样，难以逃脱被抛弃而沦落的命运吧。

文史链接

主考官欧阳修的故事

说到欧阳修，常常会提到苏轼。苏轼和欧阳修第一次打交道时，欧阳修的身份是主考官，苏轼则是应考的学生。

那年，二十一岁的苏轼和十八岁的弟弟苏辙在父亲苏洵的带领下，到京城开封去参加科举考试。这次考试出了个作文题叫“刑赏忠厚之至论”，就是论述古代君王在奖惩赏罚的方面都是本着宽大为怀的原则。这个题很难，需要考生具备很丰富的历史知识，还要有自己的想法。

试卷交上去以后，主考官——当朝的翰林学士、文坛领袖欧阳修看到了一份考卷，写得很不错。这篇文章写得立论高远、层次清楚，十分优秀。他给几个副考官也看了看，都觉得这个人应该拿第一名。欧阳修拿起笔来正准备给他点第一名，这笔拿起来还没落下去，心想：“这文章写得太好了，是谁写的？会不会是我的学生曾巩写的？这万一真是曾巩的文章，到时一放榜，别人看到会不会议论我徇私呢？”于是欧阳修就给这文章点了个第二名。没想到，这一放榜才知道这篇文章是四川来的考生苏轼写的，欧阳修对他印象就更深刻了。不知道这个故事是真的还是假的，总之后来欧阳修抱着惜才的心对苏轼特别好，苏轼也很尊敬他。

经过殿试，苏轼、苏辙兄弟顺利过关，被授予了“进士及第”的光荣称号。这一年，苏轼二十二岁，苏辙十九岁。科举制度可以让很出众的人脱颖而出，而没有年龄的限制，宋朝或许也是很明显的吧。而作为主考官的欧阳修，在当时帮助了很多年轻的士子。北宋文坛的繁盛，跟他的推举离不开关系。

思考讨论

这首词中你喜欢哪一句？说说理由。

雨霖铃

柳　永[1]

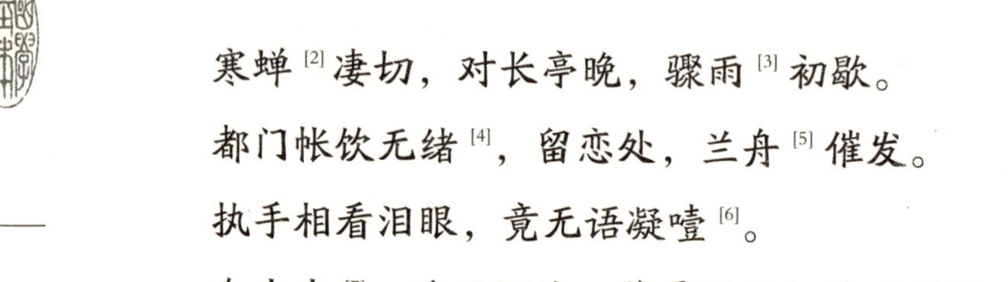

寒蝉[2]凄切，对长亭晚，骤雨[3]初歇。
都门帐饮无绪[4]，留恋处，兰舟[5]催发。
执手相看泪眼，竟无语凝噎[6]。
念去去[7]，千里烟波，暮霭[8]沉沉楚天[9]阔。

多情自古伤离别，更那堪、冷落清秋节。
今宵酒醒何处，杨柳岸、晓风残月。
此去经年[10]，应是良辰好景虚设。
便纵有千种风情[11]，更与何人说？

注释

[1] 柳永（约 987—约 1053）：原名三变，后改名永，字耆卿。因排行第七，又称柳七。崇安（今福建武夷山）人，官至屯田员外郎，故世称柳屯田。北宋著名词人，有《乐章集》。 [2] 寒蝉：秋蝉。 [3] 骤雨：阵雨。 [4] 都门帐饮：在京都郊外搭起帐幕设宴饯行。无绪：没有情绪，无精打采。 [5] 兰舟：后来用作船的美称。 [6] 噎：悲痛气塞，说不出话来。一作"凝咽"。 [7] 去去：重复言之，表示行程之远。 [8] 暮霭：傍晚的云气。 [9] 楚天：南天。古时长江下游地区属楚国，故称。 [10] 经年：一年又一年。 [11] 风情：男女恋情。

赏析

宋朝从柳永开始才多作长调慢词，描写得很细致。这首词就是细致地描写了词人离京南下时长亭送别的情景。

上阕写临别时恋恋不舍的情绪。"寒蝉凄切，对长亭晚，骤雨初歇"，在深秋时节的一个黄昏，阵雨刚停，一对恋人到长亭告别。时间、地点都告知了，而且烘托出浓重的凄凉气氛。耳边是秋蝉凄切的鸣叫，眼前是令人黯然神伤的暮雨黄昏。"骤雨初歇"，雨停了，马上就要起行了，离别的时刻到来了。"都门帐饮无绪，留恋处，兰舟催发"，"都门帐饮"是指在京城城门外设帐置酒送别。词人与爱人即将分别，这一次，词人是走的那一个。两人依依惜别，心中难舍难分，毫无心绪。可这时候，兰舟无情，已经催人出发了。没办法，二人只好"执手相看泪眼，竟无语凝噎"。这两句写得非常妙，将临别时握手告别的情状写得很生动，多少对恋人告别时都是这个样子，手拉着手、泪眼朦胧，你看我、我看你，想将对方的样子深深刻在脑海里，却连一句话也说不出来。此时无声胜

有声，柳永将这样的场景写到了词里面，所以引起了很多共鸣。“念去去，千里烟波，暮霭沉沉楚天阔。”一个“念”字领起，说明后面内容只是一种想象，而不是眼前的实景。重复“去”字，表明行程很远。分别以后，兰舟载着词人，向着南边驶去，楚天辽阔，烟波无际，最后就消失在烟雾笼罩的远方了。

下阕则着重写感情。“多情自古伤离别，更那堪、冷落清秋节”，这两句由两人的离别之苦推到一般离人，自古以来，离别总是悲伤的啊，词人把这份悲伤放到历史长河中，发现不仅没有开解到自己，反而还加重了这种悲伤。后面还点明了时间，“冷落清秋节”。当然上阕的“寒蝉”等等其实已经照应到这一句。“今宵酒醒何处？杨柳岸、晓风残月”，这两句是为人传诵的名句。“酒醒”和上阕“都门帐饮无绪”遥相呼应，使人将酒醒后的情景同前面送别时的情景自然地联系起来。“何处”是一个设问，而后面的一个答句实在精妙。妙就妙在词人不写情而写景，不直接说自己酒醒之后如何寂寞，只是拈出孤舟中所见的三种景物：河岸边的杨柳，黎明时的冷风，天空中的残月。三个词语并列写，组合出的画面是那么冷冷清清，仿佛天边的残月都是惨白的。“此去经年，应是良辰好景虚设”，这一去啊就是好几年，和心爱的人长期分离，再好的时光，再美的景色，也没有心思去欣赏领受了。“便纵有千种风情，更与何人说？”后退一步，就算是看到了无数的好风致，没有心爱的人在眼前，又去和谁说呢？词人真挚深沉的爱就这样一层层地展现在我们面前。

文史链接

奉旨填词柳三变

柳永原来叫做“柳三变”，他考了好多次科举，可是很不幸总是失败。后来他在《鹤冲天》这首词里写了一句：“忍把浮名，换了浅斟低唱。”皇帝宋仁宗听说后很不高兴，说：“这个人写词总喜欢写些花前月下的东西，那让他去浅斟低唱好了，要浮名干什么呢？那就一辈子填词去吧！”被宋仁宗这么一说，柳三变当然屡试不中。后来，他改名为柳永，终于中了进士。这个故事真假难辨，因为词史上的很多小故事都经不起推敲，我们用听故事的心态去看待就可以了。

柳永因为宋仁宗的一番话，就说自己是“奉旨填词柳三变”。其实，他平日填词，不是皇帝的圣旨，而是和他亲密交游的歌女舞伎的“芳旨”。柳永喜欢为秦楼楚馆和教坊的歌伎填词，和她们的关系非常好，用当时的口语写她们的心思。大家也都很喜欢唱他的词，以至于到后来“凡有井水处，皆能歌柳词”，可见老百姓多喜欢了。可惜的是，柳永一生过得很憋闷也很穷困，据说他死后还是歌妓们聚资为他下葬，后来每年还为他举行“吊柳会”。

思考讨论

“杨柳岸、晓风残月”营造了怎样的意境？反映了词人怎样的内心世界？

八声甘州

柳　永

对潇潇暮雨洒江天，一番洗清秋[1]。
渐霜风凄紧[2]，关河冷落，残照当楼。
是处[3]红衰翠减[4]，苒苒[5]物华休。
惟有长江水，无语东流。

不忍登高临远，望故乡渺邈[6]，归思难收。
叹年来踪迹，何事苦淹留[7]？
想佳人、妆楼颙望[8]，误几回、天际识归舟[9]。
争[10]知我、倚阑干处，正恁凝愁！

注释

[1]一番洗清秋：一番风雨，洗出一个清冷的秋天。　[2]霜风凄紧：秋风凄凉紧迫。霜风，秋风。　[3]是处：处处。　[4]红衰翠减：花草凋零。红、翠，指代花草树木。　[5]苒（rǎn）苒：渐渐地。　[6]渺邈：遥远。　[7]淹留：久留。　[8]颙（yóng）望：抬头远望。　[9]误几回、天际识归舟：多少次错把远处驶来的船当做心上人回家的船。　[10]争：怎。

赏析

要了解柳永的词，就不能放过这一首，因为它写得太好了。词人将游子在外思乡的感情刻画得很到位，而他笔下的风景又是那么大气，即便是衰飒的秋景，也能感觉到那番寥廓。

上阕从秋景写起，雨后江天，澄澈如洗。一个“对”字，领起下文。词人登临远眺，纵目望天涯，暮雨潇潇，遍洒江天。“渐霜风”以下，是写清秋时节经过雨洗风吹，渐渐地，时光景物，又生一番变化。秋深暮色浓，西风遒劲，吹得人很冷。“关河冷落，残照当楼”，关隘、山河冷清萧条，落日的余光照在楼上。一个“残”字，表明这夕阳的光也没有了温度，仿佛天底下的悲秋之气一起袭来。“是处红衰翠减，苒苒物华休”，这一句开始写花草树木，处处皆是凋落之景。“苒苒”与“渐”字相呼应。接下去两句“惟有长江水，无语东流”，写出了永恒的水向东奔流到大海，而花草只有一季便凋零了。此句包含哲理，让人思考短暂与永恒、变与不变之间的关系。

下阕开始就点明了思乡的感情。“不忍登高临远，望故乡渺邈，归思难收”，词人不忍心登上高山看远方，眺望遥远的故乡，因为盼望回家的心思难以收拢。接下来词人直接叹息，这些年来行色匆匆，为什么长期停留在异乡？一个“苦”字，暗含多少无奈。下面就是词人的构思精妙之处了，他没有直接写自己如何思乡，而是把笔锋转向了思念自己的佳人。心上人恐怕也是登楼望远，盼望游子早日归来吧。“误几回”，将佳人盼了又盼却总是失望的心情写得特别生动。最后三句，再转回来写自己的思乡之情，篇末点题。

文史链接

词牌《八声甘州》的来历

混乱的南北朝时期，北方政权更替极其频繁，让人眼花缭乱。汉朝的张掖城变成了甘州，武威城变成了凉州，而因霍去病将御赐的酒倒在水中让士兵们分饮而得名的酒泉城变成了肃州。回到匈奴、鲜卑人手中的西域诸城当然不再用汉时旧名，这些名字或许更符合沙漠中绿洲的含义。到了开放的盛唐，长安城里，宫廷内外，从教坊到民间，汉族传统舒缓的清商乐不再受欢迎，而来自西凉、龟兹、高昌甚至更为遥远的域外音乐让人们感受到急管繁弦的旺盛生命力。

甘州，也就是汉代的张掖，原本是当年汉军与匈奴的主战场。汉武帝的英姿已经随着历史烟消云散，可祁连山的雪水在这荒野大漠中浇灌出的塞外江南却依然存在，百姓在此繁衍生息，一代又一代，从汉族的统治下又转回了少数民族，再次被唐帝国划入版图。

所以可以想见，《甘州》曲一定带着域外的风情，还带着潇洒的塞外雄风。它本身是一个大曲，《八声甘州》是从大曲《甘州》中截取一段改的。因为上下阕共用了八个韵，所以叫八声。柳永最早用它来填词。苏轼、辛弃疾也很喜欢这个词调。

思考讨论

“妆楼颙望”的“颙”除了词中的含义外，还有其他什么意思？查查字典或者其他资料。

桂枝香

王安石[1]

登临送目[2]，正故国[3]晚秋，天气初肃。
千里澄江似练[4]，翠峰如簇[5]。
归帆去棹[6]残阳里，背西风，酒旗斜矗。
彩舟云淡，星河鹭起[7]，画图难足[8]。

念往昔、豪华竞逐[9]。叹门外楼头，悲恨相续[10]。
千古凭高，对此漫嗟荣辱[11]。
六朝[12]旧事随流水，但寒烟、衰草凝绿。
至今商女[13]，时时犹唱，《后庭》遗曲[14]。

注释

[1]王安石（1021—1086）：字介甫，号半山，谥文，封荆国公。世人又称王荆公。抚州临川（今江西临川）人。北宋杰出的政治家、思想家、文学家、改革家。 [2]登临送目：登山临水，举目望远。 [3]故国：旧时的都城，指金陵。 [4]千里澄江似练：形容长江像一匹长长的白绢。澄江，清澈的长江。练，白色的绢。[5]如簇：这里指群峰好像丛聚在一起。簇，丛聚。 [6]去棹（zhào）：往来的船只。棹，划船的一种工具，形似桨，也可引申为船。[7]星河鹭（lù）起：白鹭从沙洲上飞起。长江中有白鹭洲。星河，

银河，这里指长江。　[8]难足：难以完美地表现它。

[9]豪华竞逐：(六朝的达官贵人)争着过豪华的生活。竞逐，竞相仿效追逐。　[10]悲恨相续：指亡国悲剧连续发生。

[11]漫嗟荣辱：空叹什么荣耀耻辱。　[12]六朝：指三国吴，东晋，南朝宋、齐、梁、陈六个朝代。它们都建都金陵。

[13]商女：歌女。　[14]《后庭》遗曲：指歌曲《玉树后庭花》，传为陈后主所作。杜牧《泊秦淮》："商女不知亡国恨，隔江犹唱《后庭花》。"后人认为此曲是亡国之音。

赏析

南京在古代叫做金陵，是六朝古都，人们在南京常常会产生怀古的感情。金陵怀古词有很多，王安石的这一首是其中的佼佼者。

词的上阕开门见山，直接写词人在深秋的傍晚登高远眺，看到金陵城的景象正是一派晚秋，天气刚刚开始变得萧肃。接下来两句是全词的佳句，词人细细描绘晚秋风景。六朝时的大诗人谢朓写过一句佳句"澄江净如练"，词人将其化用在自己的词里面。这两句含两个比喻，千里奔流的长江澄澈得好像一条白练，青翠的山峰俊伟峭拔犹如一束束箭镞。再往下，便是"征帆去棹残阳里，背西风，酒旗斜矗"，词人接着写江上的风景，斜阳下，数不清的风帆来往于江波之上。西风吹得紧急，那酒肆的青旗高高挑起，顺着风飘拂。再后面就是"彩舟云淡，星河鹭起"，一下子就增添了明丽之色。暮色渐浓，夕阳西下，云彩的颜色也淡去了，彩色的画船依然在江上，而江心洲上的白鹭时而停歇时而飞起，这清丽的景色就是用最美的图画也难把它画足。

上阕写景，下阕就是抒发怀古幽情，感叹六朝皆以荒淫而相继覆亡。回想往昔，奢华淫逸的生活无休止地互相竞逐，感叹"门外韩擒虎，楼头张丽华”的亡国悲恨接连相续。韩擒虎是隋朝开国大将，他已带兵来到金陵朱雀门（南门）外，陈后主还在与他的宠妃张丽华在阁楼上寻欢作乐。亡国的惨剧总是那么相似，兵临城下的时候帝王们还在耽于玩乐。接着词人就点明自己在发怀古之情，“千古凭高对此，漫嗟荣辱”。千古以来凭栏遥望，映入眼帘的景色就是如此，可不要感慨历史上的得失荣辱。然后，词人将历史与永恒的风景相对照，“六朝旧事随流水，但寒烟、衰草凝绿”。六朝的风云全都随着流水消逝了，只有那郊外的寒冷烟雾和枯萎的野草依然凝聚着一片苍绿。最后三句，词人将杜牧的名句“商女不知亡国恨，隔江犹唱《后庭花》”化作自己的词，如今的歌女，还不知那亡国的悲恨，时时放声歌唱《后庭》遗曲。

文史链接

王安石不喝敬酒

据说，“包青天”包拯在开封当官的时候，司马光和王安石都曾经做过他的下属。有一天，官署里的牡丹盛开了，包拯看见这样的美景，也有了诗情雅兴，就吩咐同僚们置酒赏花，并一一给下属敬酒。

下属们都纷纷仰脖子一饮而尽，就连平时不喜欢喝酒的司马光也喝了几杯。可是，当包拯敬到王安石的时候，王安石摆摆手，说自己从不喝酒，直接拒绝了上司的敬酒。同僚们哪会这么轻易饶过他？他们在一边纷纷起哄：“介甫，我们都喝了，你也喝一杯吧！”可是，不管大家怎么劝酒，王安石毫不给面子，始终表示自己不能喝酒。包拯也算得上京城里脾气倔的人了，碰上王安石的倔脾气，却一点没办法，只好打了个哈哈，接着敬大家。不过，经过这次敬酒的事，大家对王安石的倔脾气也都有所了解，不会轻易敬他酒了。

思考讨论

南京被称为“六朝古都”，这六朝是哪六朝？

水调歌头

苏　轼[1]

丙辰中秋，欢饮达旦[2]，大醉，作此篇兼怀子由[3]。

明月几时有，把酒[4]问青天。
不知天上宫阙[5]，今夕是何年。
我欲乘风归去，又恐琼楼玉宇[6]，高处不胜[7]寒。
起舞弄清影[8]，何似[9]在人间。

转朱阁，低绮户，照无眠。

不应有恨，何事长向别时圆？

人有悲欢离合，月有阴晴圆缺，此事古难全。

但愿人长久，千里共[10]婵娟[11]。

注释

[1]苏轼（1037—1101）：字子瞻，号东坡居士。眉州眉山（今属四川）人。北宋著名诗人、文学家、书画家。有《东坡乐府》。 [2]达旦：直到早晨。 [3]子由：即苏轼的弟弟苏辙。 [4]把酒：端起酒杯。 [5]天上宫阙：这里指月中宫殿。阙，古代宫殿前左右竖立的楼观。 [6]琼楼玉宇：美玉砌成的楼宇，指想象中的仙宫。 [7]不胜：经受不住。 [8]弄清影：月光下的身影也跟着做出各种舞姿。弄，赏玩。 [9]何似：哪里比得上。 [10]共：一起欣赏。 [11]婵娟：指月亮。

赏析

词前有小序，说的是词人在熙宁九年（1076）的中秋节，喝酒喝到天亮，思念起自己的弟弟苏辙，于是写了这首词。

上阕开始，就用一个问句："明月几时有？把酒问青天。"词人把青天当做自己的朋友，端起酒杯相问，明月是从什么时候开始有的呢？这一问就显示出了他的气魄很大。"不知天上宫阙，今夕是何年"，词人把对明月的赞美和向往之情更推进一层。不知道今晚的月宫是一个什么日子呢？接下来词人就开始大胆想象："我欲乘风归去，又恐琼楼玉宇，高处不胜寒。"为什么用"归去"？哦，词人设想自己也曾经是月中人，所以才有了"乘风归去"的

念头。可是他又犹豫了，怕那里的琼楼玉宇太高而受不住那儿的寒冷。就算在那里了，说不定很寂寞，只好“起舞弄清影”，与自己的影子为伴，一起舞蹈嬉戏。这哪里比得上人间啊！苏轼到底还是热爱人间的。

下阕怀人，怀子由。词人从中秋的圆月联想到人间的离别。“转朱阁，低绮户，照无眠”，这三句写的是月亮的动作，月光转过朱红的楼阁，低低地穿过雕花的门窗，照到了房中迟迟未能入睡的人身上。无眠的人，既是自己，也是那些在中秋佳节因不能与亲人团圆而难以入睡的人们。月圆而人不能圆，这多么遗憾！于是诗人便埋怨明月：“不应有恨，何事长向别时圆？”明月您总不该有什么遗憾吧，为什么老是在人们离别的时候才圆呢？这样的埋怨很是没有道理，可就是这样没有道理的埋怨，把人们分离的痛苦写得更生动了。但苏轼到底是苏轼，他接着把笔锋一转，说出了一番宽慰的话：“人有悲欢离合，月有阴晴圆缺，此事古难全。”人固然有悲欢离合，月也有阴晴圆缺，自古以来世上就难有十全十美的事。既然如此，又何必为暂时的离别而感到忧伤呢？于是就发出了“但愿人长久，千里共婵娟”的祝愿。但愿亲人们身体康健，长长久久，我们隔着千里共赏一轮明月。

文史链接

与君世世为兄弟

当年苏洵带着苏轼、苏辙进京赶考，兄弟俩在那年科举中一鸣惊人。北宋文坛大家欧阳修很看好苏轼，不过宰相韩琦则觉得苏洵更为老成稳重，更偏爱他。

苏轼就好比冉冉升起的新星，肆无忌惮地发出耀眼的光芒。

不是他不低调，而是他的才华让他低调不起来。他的弟弟苏辙虽然也做官，但比较低调收敛。

那一年，苏轼的一帮敌人罗织罪名，“乌台诗案”发生后，苏轼被关进开封监狱。就在兄弟落难的时候，一直沉默的苏辙站了出来，他上书皇帝，希望自己能够效法缇萦，替哥哥坐牢。缇萦救父的故事，大家听过吗？缇萦是个小女孩，她为了救她被冤枉入狱的父亲，向皇帝上书陈情，希望自己去做苦役来代替父亲坐牢，后来感动了皇帝，父亲无罪释放。

可惜，苏辙的努力没有成功。没办法，他只好买了条鱼，希望给哥哥吃得好点。狱牢中不通音讯，苏轼不知道这顿饭是苏辙送的，还以为是自己妻子送的。他见到鱼大惊，继而万念俱灰。因为他和妻子约定，如果事情还好就一直送些简单的蔬菜和米饭果腹，但如果事态恶化，就送条鱼告知。绝望之下，苏轼写了一首《狱中示子由》：“是处青山可埋骨，他年夜雨独伤神。与君世世为兄弟，更结人间未了因。”虽然后来知道是场误会，但是他们的兄弟情谊世代流传。

思考讨论

这首词中你最喜欢哪一句？为什么？

念奴娇·赤壁怀古

苏　轼

大江东去，浪淘尽、千古风流人物。
故垒西边，人道是、三国周郎[1]赤壁。
乱石穿空，惊涛拍岸，卷起千堆雪[2]。
江山如画，一时多少豪杰。

遥想公瑾当年，小乔[3]初嫁了，雄姿英发。
羽扇纶巾，谈笑间、强虏灰飞烟灭。
故国神游，多情应笑我[4]，早生华发。
人生如梦，一尊还酹[5]江月。

注释

[1]周郎：周瑜。后面的“公瑾”，是周瑜的字。　　[2]千堆雪：浪花千叠。　　[3]小乔：乔玄次女，周瑜妻子。　　[4]多情应笑我：“应笑我多情”的倒装。　　[5]酹（lèi）：以酒洒地，用以敬月。

赏析

说到豪放词，总是会提到这首《念奴娇》。元丰五年（1082）七月，苏轼被贬黄州，在参观了黄州赤壁后有感而发，写下了这首词。

这首词上阕写赤壁的景色，下阕是怀念周瑜，最后以自身感慨作结。

“大江东去，浪淘尽、千古风流人物”，多么豪迈的气势！江山、历史、人物，怀古思绪幽幽。接着借“人道是”三字，把江边“故垒”，也就是古战场留下的营垒遗迹和周郎赤壁挂上了钩。“乱石穿空，惊涛拍岸，卷起千堆雪”三句正面描写赤壁。词人把江水滔滔打在江石上激起的浪花和发出的砰訇巨响写得大气磅礴，渲染出古战场的气氛和声势。词人心中的赤壁，是周郎的赤壁，他认为赤壁之战，不是后来罗贯中《三国演义》中诸葛亮的赤壁，那不过是小说罢了。在苏东坡眼里，周瑜才是赤壁之战的主角。上阕最后一句似乎展开了三国群英像，“一时多少豪杰”，那是英雄辈出的时代。

下阕就集中笔力写周瑜了。周瑜在苏轼眼中，少年成名、英气勃勃，二十四岁拜东吴中郎将，人称周郎。“小乔初嫁”看似闲笔，而且小乔初嫁周瑜在建安三年（198），远在赤壁之战前十年。这样写更显得周瑜少年得志，春风得意。英雄总有美人相伴，刚中有柔，与“风流人物”遥相呼应。“羽扇纶巾”三句写周瑜的战功，也很特别。周瑜身为主将却没有身披铠甲，而是摇着羽扇穿着便服，谈笑风生。词人用的技法很巧妙，不是直接描写战争的金戈铁马，而是侧重于周瑜的从容潇洒。苏轼这一年四十七岁，不但功业未成，反而被贬到了黄州，如果把自己和三十岁左右就功成名就的周瑜相比，是多么惭愧啊！于是，苏轼从怀想周瑜转向了自身，内心的苦闷就更明显了，到最后，他就开始感叹“人生如梦”，于是举杯酹酒，江上的清风、山间的明月都一起醉了吧，一醉解千愁。

文史链接

东坡小故事两则

（一）自是一家

其实这个小故事是关于苏轼的词风的。由于苏轼之前的词大多都很婉约，于是苏轼就尝试着写豪放词。他写好了这首《念奴娇》后，就很开心地给他的朋友写信：“最近我写了点小词，和柳永词不是一个路数，不过觉得自是一家。呵呵。”苏轼还是挺得意的，他觉得自己的词自成风格，所以在信里都止不住把“呵呵”写了上去。

后来，他和朋友们在一起聚会，边上有歌女在唱歌。苏轼就问他的朋友说：“我的词和柳永的词相比，你觉得谁好？”这个客人很聪明，他没有直接回答谁好谁不好，而是说这是两种风格：柳永的“杨柳岸、晓风残月”，就比较适合十七八岁的小姑娘，手里拿着红牙板，婉转地唱；苏东坡的词呢，就需要关西大汉，手里拿着铜琵琶、铁绰板，放声高歌“大江东去”。苏轼听了以后，哈哈大笑，觉得说得很贴切。

（二）佛与牛粪

苏东坡与佛印和尚是好朋友，两人经常讨论禅学，有时只是通过简单的对话来打机锋。有一次两人相对坐下看着对方，苏东坡问佛印：“你看到了什么？”佛印回答说看到佛，接着问苏东坡看到了什么，苏东坡回答说看到了牛粪。苏东坡得意洋洋回到家中，把这番对话告诉了苏小妹。没想到苏小妹听了，扑哧一笑，说：“你输得好惨啊！”苏东坡觉得很奇怪，于是苏小妹就耐心地解释道：“因为你心中有什么，你就会看到什么。佛印心中有佛，所以眼中看到的是佛。而你嘛……”

思考讨论

请根据词中的描述勾勒一下周瑜的形象。

定风波

苏　轼

三月七日沙湖道中遇雨，雨具先去，同行皆狼狈，余独不觉。已而遂晴，故作此。

莫听穿林打叶声，何妨吟啸且徐行。
竹杖芒鞋[1]轻胜马，谁怕？一蓑烟雨任平生[2]。

料峭[3]春风吹酒醒，微冷，山头斜照却相迎。
回首向来萧瑟[4]处，归去，也无风雨也无晴。

注释

[1]芒鞋：草鞋。　[2]一蓑（suō）烟雨任平生：披着蓑衣在风雨里过一辈子也处之泰然。蓑，蓑衣，用棕毛等制成的雨披。[3]料峭：微寒的样子。　[4]萧瑟：拟声词，风雨吹打树叶声。

赏析

这首词写于苏轼被贬到黄州的第三个春天。

上阕一开始，就把一种淡淡的看开了的心绪传递给了读者。“莫听穿林打叶声”，一方面雨骤风狂，所以穿林打叶，但另一方面“莫听”两字就说明外物不足为惧。“何妨吟啸且徐行”，是接着前一句的语气，在雨中照样缓缓漫步，有什么关系呢？这和小序中的“同行皆狼狈，余独不觉”是一个意思。“何妨”二字显得俏皮。“竹杖芒鞋轻胜马”，写词人拄着竹杖，脚踩草鞋，顶着风，冒着雨，从容向前走去，“轻胜马”的自我感觉很良好啊，这里用对比写出自己笑傲人生的豪迈。于是在这样的心情下，词人轻轻松松说出“谁怕”二字，也就是不怕。然后进一步写“一蓑烟雨任平生”，由眼前风雨扩大到整个人生，突出词人面对人生风风雨雨却不畏艰险的超然心胸。

下阕第一句“料峭春风吹酒醒”，写春风吹过微微寒冷，“酒醒”两字却透露出更多信息——哦，原来上阕中的词人形象还是有点微醺的呢！“山头斜照却相迎”，点明雨过天晴。最后“回首向来萧瑟处，归去，也无风雨也无晴”却是充满了人生哲理。词人在那一瞬间获得顿悟：自然界的风雨晴天既然是寻常，那么人生中的荣辱得失又何足挂齿？“萧瑟”是指风雨之声，这就与上阕“穿林打叶声”遥相呼应。“风雨”二字，一语双关，既指这次途中遇到的风雨，又暗指几乎致他于死地的政治风雨。但不管怎样，在词人的眼里，最后“也无风雨也无晴”，一切都归于平静，外在的风雨那是外在的，要保持内心的宁静。

文史链接

东坡小故事两则

（一）

据说苏轼在登州做官的时候，手下有一个主簿。这个人每次报告事情都很啰唆，苏轼就觉得这人表达能力不行，于是心里很厌烦他。

有一次，他又来禀报，苏轼就敷衍他说："你晚上来吧。"到了晚上，这个主簿单独来了。苏轼正在看杜甫的诗，就故意问道："'江湖多白鸟，天地有青蝇'，这'白鸟'指什么？是指鸥鹭一类的鸟儿吗？"主簿也是个读书人，马上回答说："白鸟不是指鸥鹭，而是指蚊蚋（ruì）之类的虫。杜甫用在这里是暗喻那些吸人血的赃官。如今这个世界，君子太少，小人太多啊！"

苏轼顿了一下，他本来想用"白鸟"来嘲讽主簿说话像蚊蚋那样嗡嗡不止，谁料这个主簿不但有学问，为人也很正直。从此，苏轼对他另眼相看，不再嫌他说话啰唆了。

（二）

苏轼在常州的时候，花掉了最后一点积蓄，买了一所房子。古人搬家一般都要选个黄道吉日，苏轼就等着那天再住进去。他走到自己的新房子前面，无意中听到一个老妇人哭得十分伤心。于是，苏轼就停下来，俯身问老妇人："老人家，您为什么哭得这么伤心啊？"老妇人回答说，她家有一处房子，相传百年，前段时间被不肖子孙所卖，因此觉得很对不起列祖列宗，忍不住伤心啼哭。苏轼很同情她的遭遇，就问她那房子在哪里。没想到，原来苏轼买的房子，就是老妇所说的祖传老屋。于是苏轼就对她说："您的故居正是我买的。您不用这么伤心了，我把房子还您。"于是，苏轼就烧了房契，在常州租房子住。

思考讨论

这首词的最后一句"也无风雨也无晴"阐明了什么哲理？

鹧鸪天

晏几道[1]

彩袖[2]殷勤捧玉钟[3]，当年拚却[4]醉颜红。
舞低杨柳楼心月，歌尽桃花扇[5]底风。

从别后，忆相逢，几回魂梦与君同[6]。
今宵剩把[7]银釭[8]照，犹恐相逢是梦中。

注释

[1] 晏几道（约 1038—约 1110）：字叔原，号小山。晏殊第七子。有《小山词》。 [2] 彩袖：代指穿彩衣的歌女。 [3] 玉钟：珍贵的酒杯。 [4] 拚（pàn）却：甘愿，不顾惜。却，语气助词。 [5] 桃花扇：歌舞时用作道具的扇子，绘有桃花。 [6] 同：聚在一起。 [7] 剩把：尽把，只管把。剩，只管。 [8] 釭（gāng）：灯。

赏析

晏几道被人称为"痴情人"，他的这一首《鹧鸪天》写得真挚深沉，能让人跟着他去伤心、去高兴。

词的上阕写"彩袖殷勤捧玉钟，当年拚却醉颜红"，还记得那时你穿着漂亮的衣服，手里捧着酒杯殷勤劝酒，我为了你的劝酒，豁出去了，脸都喝红了。那时的红，不知道是醉酒呢，还是因为你而醉。接下来两句写"舞低杨柳楼心月，歌尽桃花扇底风"，那时的宴席时间总是很久。歌女舞姿曼妙，一直舞到挂在杨柳树梢照到楼心的明月渐渐低沉；歌女歌喉婉转，一直唱到桃花扇底的风消歇。这样的淋漓尽致，这样的用情至深，在晏几道的词里是常态，因为他总是用真心去对待人家，尽管对方只是一个地位低下的歌妓。

下阕从回忆转到现在的重逢。"从别后，忆相逢，几回魂梦与君同"，自从分别后，词人便常常回忆起相会时的欢乐。总是思念，于是不免日有所思，夜有所梦。只是梦中相会醒来总是成空，清醒后相思却更为刻骨。最后两句"今宵剩把银釭照，犹恐相逢是梦中"，实在是令人称赏。如今真的相会了，分不清眼前是梦是真，害怕醒来后会产生更加痛彻心扉的相思，于是只管拿着银灯照着，发现原来是真的，竟然是真的！这样的痴情被晏几道刻画得如此生动，真是令人感动。

文史链接

宰相之子晏几道

作为宰相晏殊之子，少年晏几道过着锦衣玉食的生活，而且他很聪明，据说宋仁宗有一次在宫中举行宴会，晏殊当然作陪，晏几道还很小，跟着父亲去赴宴。皇帝特召他作一首《鹧鸪天》演唱，他也落落大方地写了。

可是好景不长，晏几道十八岁那年，父亲晏殊去世，“树倒猢狲散”，从此晏家就开始败落了。屋漏偏逢连夜雨，晏几道后来因为反对王安石变法受到牵连，竟然遭遇牢狱之灾。出狱后，他一直到四十多岁才做了个小官，而到了晚年更是悲惨，甚至到了衣食都不能自给的程度。

晏几道不像苏东坡，苏东坡的人格魅力很强，所以有温馨浪漫的爱情生活，有热爱他、仰慕他，即便在他最落魄的时候也至死不渝追随他的女子。而晏几道呢，他的妻子对他并不算好。晏家藏书很多，每次搬移都很麻烦。他的妻子就很烦，说：“简直就像乞丐搬漆碗一样，这些还当做宝贝！”晏几道听了，就写了《戏作示内》诗，其中有“愿君同此器，珍重到霜毛”的句子。这个小故事里，他的妻子对他的确不够体谅，或许贫贱夫妻百事哀吧。在妻子那里得不到温暖的他，或许就更加想念过去美好的生活了。

思考讨论

这首词中最打动你的是哪一句？

清平乐

黄庭坚[1]

春归何处？寂寞无行路。
若有人知春去处，唤取归来同住。

春无踪迹谁知？除非问取黄鹂。
百啭无人能解，因风[2]飞过蔷薇。

注释

[1]黄庭坚（1045—1105）：字鲁直，自号山谷道人，晚号涪翁，又称豫章先生。洪州分宁（今江西修水）人。北宋著名诗人、书法家。
[2]因风：趁着风势。

赏析

这首小令很短，可是写得很活泼很有趣，黄庭坚把抽象的春天写得好像是活生生的人一般。

上阕写词人不知春归何处，于是一心要向别人请教。仿佛只是口语，如果知道春天在哪里，我就去唤它来一起住。

下阕词人从幻想中回到现实世界里来，春天没有踪迹，谁知道呢？无人知道春天的去向，春天是不可能被唤回来的。词人不死心，于是又向鸟儿请教。问人皆摇头，黄鹂鸟儿却总是声声婉转，仿佛在说话。莫非它知道？有希望了。可它的话词人听不懂啊！最后，黄鹂鸟扑棱一翻身顺着风飞走了，飞过了蔷薇丛。蔷薇花开，正是春末夏初的时节，词人这才终于清醒地意识到：春天确实回不来了。

文史链接

书到今生读已迟

宋代大诗人黄庭坚曾拜在苏东坡门下。他的诗与苏东坡齐名，当时人称他们为“苏黄”。他的书法也非常好，和苏东坡、米芾、蔡京四人称为“苏黄米蔡”。关于黄庭坚，有一则很玄幻的故事。

黄庭坚中进士后，二十六岁就被朝廷任命为芜湖知州。有一天午睡，他做了一个梦，梦见自己走出衙府，来到一户人家门前，门口站着一位老婆婆，前面有一张供桌，供桌上摆着一碗面。老婆婆手上拿着香，一边呼喊着：“某某某！回来吃面了。”黄庭坚不由自主端起面就吃，吃完后就走回衙府中去了。醒来后，他感觉这个梦还历历在目，口中仿佛还有面的香味呢。第二天，黄庭坚又午睡了。梦中他又来到了昨天的地方。这就有点奇怪了，黄庭坚惊醒，爬起来穿好衣服，趁着还记得路线，找到那里，果然那里有一户人家，叩门一看，天哪，主人正是昨天梦中的婆婆！于是就问她昨日是不是烧了面。婆婆说：“昨天是我女儿的忌日，因为她生前最喜欢吃面，所以每年在她忌日这天，我都会供一碗面，喊她回来吃。”黄庭坚就问她女儿去世多久了，婆婆说：“唉，已经二十六年了。”黄庭坚

心想，自己今年也正是二十六岁，而昨天也正是自己的生日。这真是太巧了。诧异之余，他就跟婆婆聊起她女儿在世时的种种情形。婆婆指着屋里的一个大木柜说："我女儿生前很爱看书，她的书全都锁在里面，只是我不知道钥匙被她放到哪里去了，所以这么多年一直关着。"奇怪的是，黄庭坚仿佛知道放钥匙的地方，他走了过去找出钥匙打开木柜，一看，里面不仅有书，竟然还有一些文稿。拿起来仔细一看，他大吃一惊，原来他今生每次参加考试所写的文章，竟然一字不差全都在这些文稿中。莫非自己就是老婆婆的女儿转世投胎？黄庭坚觉得这是上天的指示，这位老婆婆就是他前世的母亲。于是他将老婆婆接回到衙府中，奉养余年。

几百年后，清代有位文学家叫袁枚，他听到这个故事后，禁不住感叹："书到今生读已迟。"黄庭坚很博学，看了那么多的书，原来他在前世就已经看了啊。这个故事很玄幻，也很有意思。

思考讨论

这首词运用的最明显的修辞手法是什么？你觉得这样写有什么好处？

鹊桥仙

秦　观[1]

纤云[2]弄巧[3]，飞星[4]传恨，

银汉[5]迢迢[6]暗度[7]。

金风玉露[8]一相逢，便胜却人间无数。

柔情似水，佳期如梦，忍顾[9]鹊桥归路。

两情若是久长时，又岂在朝朝暮暮[10]。

注释

[1]秦观（1049—1100）：字少游，一字太虚，号淮海居士。扬州高邮（今属江苏）人。北宋文学家。有《淮海居士长短句》。[2]纤云：轻盈的云彩。 [3]弄巧：指云彩在空中幻化成各种巧妙的花样。 [4]飞星：流星。一说指牵牛、织女二星。[5]银汉：银河。 [6]迢迢：遥远的样子。 [7]暗度：悄悄渡过。 [8]金风玉露：指秋风白露。 [9]忍顾：怎忍回视。[10]朝朝暮暮：指朝夕相聚。

赏析

这是秦观的代表作，咏的是七夕。七夕即农历七月初七，据说那一天，人间的女子们都要“乞巧”，而且那一天是牛郎织女在天上相会的日子。这首词就用了这个传说来写诚挚的爱情。

词上阕一开始就写了“纤云弄巧”，轻柔多姿的云彩变化出许多优美巧妙的图案，这表面是写天上织女的手艺精巧，同时也暗含着人间女子“乞巧”，她们羡慕织女的巧。可接下来的“飞星传恨”就不让人羡慕了，那些闪亮的星星仿佛都在传递着牛郎织女的离愁别恨呢。“银汉迢迢暗度”，“迢迢”多么辽阔，两人相隔多么遥远。迢迢银河水使得两个相爱的人被隔开。“暗度”两字既点明七夕相会，同时也照应“恨”字。他们本是夫妻，却被迫分开，如今千里迢迢来相会。接着词人就用了很热烈的笔墨写道："金风玉露一相逢，便胜却人间无数。"这样一对久别的情侣在秋风白露的夜晚，在银河之畔相会，多么美好。这一刻抵得上人间千遍万遍的相会了啊。"金风玉露"是纯洁高尚的，词人把他们的环境写得冰清玉洁，也是歌颂这爱情的高尚纯洁。

下阕接着写两人相会。"柔情似水"运用比喻，喻指那情意就像悠悠流水般缠绵。可是"佳期如梦"，相会时间太短，仿佛做梦一般。"忍顾鹊桥归路"，马上就要分别了，怎么忍心回头看鹊桥上各自的来路啊？一转眼，来路变成了归路，怎么忍心看？这样的表述饱含着无限的惜别之情。本来词写到这里，情绪是渐渐低下去的。但词人并没有真的消沉，而是爆发出一句"两情若是久长时，又岂在朝朝暮暮"。这两句感情色彩很浓，揭示了真正的爱情要经得起长久分离的考验，只要能彼此真诚相爱，即便很长时间天各一方，也比朝夕相伴的庸俗情趣要来得可贵。这两句既指牛郎织女的爱情模式，又表述了词人高尚纯洁的爱情观，成为千古名句。

文史链接

牵牛和织女

天上有颗织女星，还有一颗牵牛星。其实他们是两个神仙，名字叫做织女和牵牛。织女是王母的小孙女，她喜欢上了牵牛，牵牛也很喜欢她。可是天规很严，不允许神仙私自相恋。王母知道了这件事，就将牵牛贬下凡尘，命令织女不停地织云锦以作惩罚。织女的工作是使用一种神奇的丝织出美丽的云彩，这些云彩随着时间和季节的不同会变幻它们的颜色，叫做"天衣"。牵牛被贬下凡之后，织女常常以泪洗面，她很想念牵牛。可是，她现在是个被看管的戴

罪之人。没办法，她只好坐在织机旁日夜织着美丽的云锦，希望王母能看在她的辛勤劳动上大发慈心，让牵牛早日返回天界。

有一天，几个仙女向王母恳求想去人间碧莲池一游，正赶上王母心情好，就答应了她们。她们一看王母今天好说话，就说把织女也带上吧，你看她天天皱眉，眉毛都打结了。王母心底里也心疼孙女，就说："那好吧，速去速回！"

牵牛下凡以后，就叫做牛郎。他从小就没了父母，还被兄嫂虐待。后来，兄嫂把他赶了出去，他只好把牛棚当做了自己的家。除了那头不会说话的老牛，冷清清的家只有牛郎一个人。不过他不知道，那头老牛其实是天上的金牛星。有一天，老牛突然开口说话了。牛郎很惊讶，也很高兴。老牛说，今天会有几个姑娘在碧莲池那里洗澡，你偷偷过去，把那件红衣服悄悄取走，衣服的主人肯定要找衣服，等她找到你这里，你就请求她跟你结婚，她一定会答应。

果然，牛郎照老牛的话做了以后，织女知道他就是牵牛星下凡，就答应了他。两人成为了夫妻，还生了一男一女。王母娘娘知道后，大怒，把织女捉了回去。老牛又告诉牛郎，我就要死了，你把我的皮摘下来，披在身上，就可以追到天上去。牛郎挑着两个小孩，就快追上织女的时候，王母娘娘拔下头上的发簪，在织女后面一划，一道银河“哗”地出现了。牛郎没法飞过去，这一对恩爱夫妻还是被隔开了。他们深爱着对方，天天痛哭，终于感动了王母娘娘。于是就允许他们每年七月七日相会一次，相会时，由喜鹊为他们架桥。

思考讨论

如何理解“两情若是长久时，又岂在朝朝暮暮”？

踏莎行

秦　观

雾失楼台，月迷津渡[1]，桃源望断无寻处。
可堪[2]孤馆闭春寒，杜鹃声里斜阳暮。

驿寄梅花[3]，鱼传尺素[4]，砌成此恨无重数。
郴江幸自[5]绕郴山，为谁流下潇湘去？

注释

[1]津渡：渡口。　[2]可堪：哪里还能禁得住。　[3]驿寄梅花：陆凯在《赠范晔》中有“折梅逢驿使，寄与陇头人。江南

无所有，聊寄一枝春”。 [4] 鱼传尺素：汉乐府诗《饮马长城窟行》中有“客从远方来，遗我双鲤鱼。呼儿烹鲤鱼，中有尺素书”。[5] 自：本自，本来是。

赏析

秦观是婉约词的代表词人，他的词很有特色。

这首词上阕写自己被贬谪后居所的寂寞冷清。开头三句，“雾失楼台，月迷津渡，桃源望断无寻处”。人们仿佛看到一幅很朦胧的画面，漫天的迷雾隐去了楼台，在朦胧月色中，渡口显得迷茫难辨。因为迷茫一片，所以用力去看，可仍然是“桃源望断无寻处”。词人在那里久久伫立，他希望看到陶渊明笔下的世外桃源。桃源在武陵，离郴（chēn）州不远。“桃源”是陶渊明心目中的避乱胜地，也是词人心中的理想乐土。词人多么希望能找到通向“桃源”的秘密通道啊！可是这个希望不可能实现，所以词人将目光转向了自己的住处。“可堪孤馆闭春寒，杜鹃声里斜阳暮”，哪里还能忍受春寒料峭时分独处客馆的孤寂啊！何况那杜鹃声声，催人“不如归去”。斜阳照来，更加勾起词人的愁思：一天就这样过去了，一辈子会这样过去吗？词人连用“孤馆”、“春寒”、“杜鹃”、“斜阳”等景物，写得令人悲伤。

下阕写了远方友人的安慰。“驿寄梅花，鱼传尺素”，连用两则友人投寄书信的典故。原本远方的亲友送来安慰的信息，应该是让人高兴的。可是，词人却写“砌成此恨无重数”。如果你能体会词人的心情，就会知道他这样写的妙处。词人是被贬谪的，北归无望，每一封亲友的书信，虽然是安慰，可是触动了词人那根敏感的心弦。他会想起曾经的美好生活，会想起如今的悲惨遭遇。每一封信来，词人的心就被扎一次，就流血一次，于是他用了一个“砌”字，将无形的伤感形象化，好像砖头一般重重累积，最后筑起一道沉重坚实的“恨”墙。恨谁？恨什么？身处逆境的词人没有明说，只是在最后打出一个问号：“郴江幸自绕郴山，为谁流下潇湘去？”词人仿佛在对郴江说：郴江啊，你本来是围绕着郴山而流的，为什么却要老远地北流向潇湘而去呢？这一句，其实暗含着一层意思：自己好端端一个读书人，本想为朝廷做一番事业，正如郴江本是绕着郴山转，谁会想到如今我竟被卷入政治斗争的旋涡中去了呢？

文史链接

苏轼和秦观

苏轼和秦观是什么关系呢？很多传说中，秦观是苏轼的妹夫，娶了苏轼的妹妹苏小妹。其实，苏小妹是一个传说中的人物，秦观在历史上被称为“苏门四学士”之一，也就是说，他和苏东坡是师生关系。

据说，苏轼对秦观的《踏莎行》最后两句很是喜欢。当然这喜欢里也有些内疚，他觉得是自己遭到贬官连累了秦少游。后来秦观死了，苏轼把这两句写在扇面上，然后哀叹着说：“少游已矣，虽千万人何赎！”意思是，秦观已经去世了，即使有千万人也换不回来了啊！

他们师生在一起经常会聊一些写作上的事。一次苏轼和秦观会面，闲谈之间，苏轼问起秦观近来可有新的词作。秦观说，最近写了首词，开头两句是“小楼连苑横空，下窥绣毂（gǔ）雕鞍骤”。苏轼一听，就笑了：“你看你，十三个字，只说得一个人骑马从楼前过。”秦观就问苏轼最近是否有新作，苏轼说：“我也有一首，恰好也和楼有关。里面有三句‘燕子楼空，佳人何在，空锁楼中燕’。”站在旁边的晁无咎听了，赞叹道：“老师，您这首词三句话就把张建封燕子楼的一段故事全概括了，真妙啊！”

其实，秦观的这句词是有匠心的。因为词的上阕首句“小楼连苑横空”，下阕首句“玉佩丁东别后”，分别藏了楼、东、玉三个字。这是秦观在蔡州的一段艳遇，那女子姓楼名婉，字东玉，是蔡州的一名营伎。试想，当楼婉读到专门为她所作的词时，会觉得词人那份与众不同的心思多么令人感动啊！

思考讨论

这首词中出现了一种鸟类“杜鹃”，词人为什么要写杜鹃呢？关于杜鹃有什么典故？

浣溪沙

秦　观

漠漠[1]轻寒[2]上小楼，晓阴[3]无赖[4]似穷秋[5]，
淡烟流水[6]画屏幽[7]。

自在[8]飞花轻似梦，无边丝雨细如愁，
宝帘[9]闲挂[10]小银钩。

注释

[1]漠漠：紧密分布或大面积分布的样子。 [2]轻寒：阴天，有些冷。 [3]晓阴：早晨天阴着。 [4]无赖：无聊的感觉。[5]穷秋：秋天走到了尽头。 [6]淡烟流水：画屏上轻烟淡淡，流水潺潺。 [7]幽：意境悠远。 [8]自在：自由自在。[9]宝帘：缀着珠宝的帘子。 [10]闲挂：很随意地挂着。

赏析

这首词通篇写的就是一种淡淡的春愁。它的好在于把那种人生之中往往体会到却无法言说的无聊之感，用很巧妙的语言描述了出来。

词的上阕第一句就是“漠漠轻寒上小楼”，其实漠漠轻寒中袅袅升起的是主人公那轻轻的寂寞和百无聊赖的闲愁。在轻淡中，能感受到那颗极为纤细敏锐的心。漠漠轻寒，如烟似雾，春寒料峭的清晨顿时染上了冷清的色彩。紧接着“晓阴无赖似穷秋”一句，更进一步。无赖，是无可奈何的。暮春时分，却感到像深秋那样的寒冷，哦，原来这是一个天阴的早晨。接下来的一句很巧妙，主人公也许刚刚从梦中醒来，睡眼惺忪，“淡烟流水画屏幽”，室内画屏上有着淡淡的烟霭，轻轻的流水。是梦吗，还是真的？

下阕转入对春愁的正面描写。接下来的一句是名句，“自在飞花轻似梦，无边丝雨细如愁”。词人将视线转移向窗外：飞花袅袅，飘忽不定；细雨如丝，迷迷蒙蒙。这里的两个比喻很奇妙，“飞花”之“轻”似“梦”，“丝雨”之“细”如“愁”。词人把抽象的情感用具体的物象表现。“自在飞花”，无情无思，却反衬出做梦人有情有思。丝丝细雨已足够生愁，更何况这雨下个不停呢！最后，仿佛是电影画面的定格一般，词人以“宝帘闲挂小银钩”作结。

其实是因为帘子挂起来，所以才看到了窗外的景色，但是这里倒过来写，倒是把那淡淡的愁写得铺天盖地，到最后用一个静物来结束，很有余味。

文史链接

词牌《浣溪沙》

《浣溪沙》原本叫做《浣溪纱》，它的背后是一个绝代佳人的故事。

四大美人之一的西施生活在越国，她家附近有条若耶溪，西施常常在这里浣纱，每当她在那里浣纱，水里的鱼儿看见她的美貌都害羞地沉下去了。这也是“沉鱼落雁”中“沉鱼”的来历。后来，唐朝人因为很喜欢这个故事，就把它编成曲子来唱。这个词调简洁明快，很受文人们喜欢。可惜，后来传着传着，字就错了，《浣溪纱》变成了《浣溪沙》。

苏轼喜欢张志和的《渔歌子》，可是唐代的词到了宋代，曲调失传了，不能很好地传唱，于是苏东坡“加其语以《浣溪沙》歌之”，也就是加了几个字，用《浣溪沙》的调子来唱。

思考讨论

这首词是怎样细腻地描写春愁的?

苏幕遮

周邦彦[1]

燎[2]沉香[3]，消溽暑[4]。鸟雀呼晴[5]，侵晓[6]窥檐语。
叶上初阳干宿雨[7]，水面清圆[8]，一一风荷举[9]。

故乡遥，何日去？家住吴门[10]，久作长安[11]旅[12]。
五月渔郎相忆否？小楫[13]轻舟，梦入芙蓉浦[14]。

注释

[1]周邦彦（1056—1121）：字美成，号清真居士。钱塘（今浙江杭州）人。北宋末期著名词人。有《清真集》。 [2]燎：烧。[3]沉香：名贵香料，置水中则下沉，其香味可辟恶气。 [4]溽(rù)暑：潮湿的暑气。沈约《休沐寄怀》："临池清溽暑，开幌望高秋。"溽，湿润，潮湿。 [5]呼晴：唤晴。旧有鸟鸣可占晴雨之说。

[6]侵晓：快天亮的时候。侵，渐近。 [7]宿雨：昨晚下的雨。 [8]清圆：清润浑圆。 [9]一一风荷举：荷叶迎着晨风，每一片荷叶都挺出水面。举，擎起。 [10]吴门：古吴县城（今江苏苏州）亦称吴门，这里以吴门泛指江南一带。 [11]长安：原指现在的西安，后世常借它指京都。词中借指汴京（今河南开封）。[12]旅：客居。 [13]楫：划船的短桨。 [14]芙蓉浦：有荷花的水边。词中指杭州西湖。芙蓉，又叫“芙蕖”，荷花的别称。

赏析

这首词出名，是因为它写荷花写得很好，把荷花的风姿都描绘出来了。久而久之，很多人忘了这其实是一首夏天思乡的词。

上阕写得很精巧，“燎沉香”，词人刚刚醒来，便闻到昨夜点燃的沉香仍弥漫室内。“消溽暑”，那使人感到闷热的暑气，已经消失。“鸟雀呼晴”，这是从听觉角度写的，这一句写得很生动活泼。天气放晴，鸟雀十分活跃，“呼晴”，在那种热闹的鸣叫声中透露出雨后新晴的喜悦。“侵晓窥檐语”更是活灵活现。词人听到鸟叫，于是睁开眼朝窗外望去，果然看到鸟雀们映着晓色，立在屋檐上往下窥视，叫个不停。“窥”，将鸟雀的神态、动作全部写入。写完看到的小动物，词人接着写户外所见。“叶上初阳干宿雨”，荷叶上的水珠反射着旭日的光彩，“宿雨”被晒干了。“水面清圆”，词人把镜头远远拉开、推高，然后俯视整个荷塘，看到那铺满水面的圆圆荷叶。接下来，词人把镜头拉下，水平摄影：那一棵棵亭亭玉立的荷叶被高高举起，在晨风中摇曳生姿。荷叶丰富多彩、栩栩如生的形象跃然纸上。

下阕写词人对故乡的怀念。“家住吴门，久作长安旅”，家乡在“吴门”，如今在“长安”居住，可那不是自己的家，所以只能说是“旅”，是作客。接下来三句记梦。五月的渔郎还记得吗？摇着小船，我仿佛就是那渔郎，回到了开满荷花的家乡了。

文史链接

精通音乐的周邦彦

周邦彦精通音律，他很崇拜三国时期的周瑜。据说，周瑜对音乐很有研究，他听到乐曲哪个节拍错了，就会停一下，让演奏者改正。有位歌妓很爱慕周郎，于是就故意吹错了一个音节。果然，周郎回头了，他看到了歌妓，耐心地指出哪里出错，再让她重新来过。后来人们就把这件事称作“曲有误，周郎顾”。

周邦彦也姓周，他在词中也自称“周郎”，而且把自己家里的一间房子题名为“顾曲堂”。他创制了不少新词调，比如说《六丑》词牌，音律和文字都很考究。宋徽宗赵佶觉得这个名字很奇怪，就问他：“为什么叫六丑啊？”周邦彦解释道：“这首词一共转换了六种宫调，都是音乐中极美又极难唱的调子。传说上古的颛顼（zhuān xū）帝高阳氏有六个儿子，品行高尚可是相貌奇丑，所以我用它来给词牌命名。”可惜，这些音调都失传了，现在我们还能看到文字，就是那首咏蔷薇的《六丑》。

思考讨论

这首词中描写荷叶的是哪几句？

兰陵王·柳

周邦彦

柳阴直[1]，烟里丝丝弄碧[2]。
隋堤[3]上、曾见几番，拂水飘绵送行色[4]。
登临望故国，谁识京华[5]倦客？
长亭[6]路，年去岁来，应折柔条[7]过千尺。

闲寻旧踪迹[8]。又酒趁哀弦[9]，灯照离席[10]。
梨花榆火催寒食[11]。
愁一箭风快，半篙波暖，回头迢递[12]便数驿。
望人[13]在天北。

凄恻[14]，恨堆积。渐别浦[15]萦回，津堠岑寂[16]。
斜阳冉冉[17]春无极。
念[18]月榭[19]携手，露桥[20]闻笛。
沉思前事，似梦里，泪暗滴。

注释

[1]直：柳阴连成一条直线。　[2]烟：薄雾。弄：飘拂。
[3]隋堤：汴河之堤，隋炀帝时所修。　[4]飘绵：指柳絮随风飘扬。

行色：出发时的情状。[5]京华：京师。[6]长亭：路旁供行人休息或送别的亭子。[7]柔条：柳枝。古人有折柳赠别之习。[8]旧踪迹:过去的情状。[9]趁:逐，追随。哀弦:哀怨的乐声。[10]离席：送别的筵席。[11]榆火：朝廷在清明节取榆、柳之火赐百官。寒食：清明前一天为寒食。[12]迢递：遥远。[13]望人：送行人。[14]凄恻：悲伤。[15]渐:正当。别浦:水流分支的地方。[16]津堠(hòu)岑寂:码头上守望的地方空寂静谧。津,渡口。堠,哨所。[17]冉冉:慢慢移动的样子。[18]念：想到。[19]月榭：月光下的楼台。[20]露桥：布满露珠的桥梁。

赏析

这是一首长调慢词，分为三阕。“柳”往往和送行连在一起，因为“柳”和“留”音近，古代人们就有折柳送别的习惯。这首词中周邦彦写自己离开京华时的心情。他已经倦游京华，但还留恋着那里的情人，回想和她来往的旧事，恋恋不舍地乘船离去。

上阕一开始写“柳阴直，烟里丝丝弄碧”，长堤上，柳树成行，仿佛画出一道直线。“烟里丝丝弄碧”写柳丝，新生柳枝细长柔软，就像丝绦一样。一个“弄”字，将柳丝拟人化，仿佛知道自己碧色可人，风吹来，故意飘拂着显示自己的美。春天常常有烟霭，柳色远处看去像笼着层绿烟，这是一种朦胧美。接下来写“隋堤上、曾见几番，拂水飘绵送行色”，其实这样的柳色不止见了一次，但那是为别人送行时看到的。“登临望故国，谁识京华倦客”，词人登上高堤眺望故乡，别人归家也触动了自己的乡情。这个厌倦了京华生活的客子，忧愁有谁能理解呢？接着又回到柳树，“长亭路，年去岁来，应折柔条过千尺”。词人设想，在长亭路上，年复一年，送别时折断的柳条加起来恐怕要超过千尺了。表面上是在写柳树枝条被折断，其实是在写人间离别的频繁。

中阕开始写自己的别情。“闲寻旧踪迹”这里“寻”是寻思、追忆、回想的意思。“踪迹”指往事。“闲寻旧踪迹”，就是追忆往事。此时周邦彦想起了什么？“又酒趁哀弦，灯照离席。梨花榆火催寒食。”船开以后寻思往事。寒食节前的一个晚上，情人为他送别。宴席上灯烛闪烁，因为要分别，所以乐曲也是哀伤的。“梨花榆火催寒食”点明饯别的时间，寒食节在清明前一天，旧时风俗，寒食这天禁火，节后另取新火。唐代时，清明节皇宫取榆、柳之火赐给近臣，表示恩宠。一个“催”字表明岁月匆匆。接下来，“愁一箭风快，半篙波暖，回头迢递便数驿。望人在天北”。这是写词人从船上回望岸边的情景。前三句写一路顺风，船开得很快，这原本是该高兴的，可是词人却用一个“愁”字，为什么？还不是因为有人让他留恋着。回头望去，那人已远在天边，只有一个模糊难辨的身影。

下阕写船渐行渐远。“凄恻，恨堆积”，这是情感上比较明显的表露。“恨”在这里是遗憾的意思。遗憾一层一层堆积在心头，仿佛是有质感的。接下来又一次展开写景色：“渐别浦萦回，津堠岑寂。斜阳冉冉春无极。”“渐”字表明已经过了一段时间了。天北那个“望人”早已看不见，看见的是沿途风光。傍晚，渡口冷冷清清。“斜阳冉冉春无极”，斜阳冉冉西下，春色一望无边。这一句历来受人称赞，或许是将斜阳与春色连在一起写，那空阔的背景更衬出词人的孤单。于是词人不禁想起往事：“念月榭携手，露桥闻笛。沉思前事，似梦里，泪暗滴。”两人携手漫步在月榭中，在露桥上听远处的笛声。那些夜晚多么难忘，宛如梦境一般，一一浮现在眼前。想到这里，词人不知不觉滴下了泪水。“暗滴”说明自己不愿让旁人知道，只好暗自悲伤。

文史链接

宋徽宗、周邦彦与李师师的传说

据说周邦彦住在京城开封的时候，与名妓李师师很要好。那时，风流皇帝宋徽宗听到李师师的艳名后，也想见见这天下第一美人。一见之后，宋徽宗就常常微服私访，乘着小轿子，带着几个随身小太监，去看李师师。

有一天晚上，周邦彦正在李师师房中，两人亲热地说着话。突然听说皇帝来了，周邦彦来不及走了，没办法就钻到床下去了。宋徽宗赵佶满脸笑容地走进来，从袖子里取出一个橙子："赏给你的！"李师师亲手剥了，并对赵佶说："官家，你也吃一口。"周邦彦躲在床下，大气都不敢出。第二天，他将这段见闻填了一首《少年游》，首句便是"并刀如水，吴盐胜雪，纤手破新橙"。

几天后，赵佶再度去李师师那里，听到她唱这首词，一开始还觉得写得真不错，后来越想越觉得不对，这好像就是在当场看到听到一样嘛！不对，这作者当天一定也在屋里。赵佶一下打翻了醋坛，很不开心，甩了一下衣袖，大怒而去，回去后就找了个借口把周邦彦赶出京师了。

又过了两天，李师师为赵佶唱了一首新曲子《兰陵王》，赵佶一听就觉得这真是一首佳作。便问是谁写的，李师师赶紧答是周邦彦。赵佶觉得周邦彦在音乐上真是一位天才，把他赶走了很可惜，还是留着他吧！于是，他就赦免了周邦彦。

思考讨论

为什么古代人送别的时候喜欢折柳？

青玉案

贺　铸[1]

凌波[2]不过横塘路，但目送、芳尘去[3]。
锦瑟华年[4]谁与度？
月桥[5]花院[6]，琐窗[7]朱户[8]，只有春知处。

飞云冉冉蘅皋[9]暮，彩笔[10]新题断肠句。
试问闲愁都几许[11]？
一川[12]烟草，满城风絮，梅子黄时雨。

注释

[1] 贺铸(1052—1125)：字方回，号庆湖遗老。卫州（今河南卫辉）人。北宋著名词人。 [2] 凌波：形容女子步态轻盈。 [3] 芳尘去：指美人已去。 [4] 锦瑟华年：指美好的青春时期。锦瑟：饰有彩纹的瑟。 [5] 月桥：像月亮一样弯弯的桥。 [6] 花院：花木环绕的庭院。 [7] 琐窗：雕绘着连琐花纹的窗子，这里指精美的窗。 [8] 朱户：朱红的大门。 [9] 蘅皋：长着香草的水边高地。 [10] 彩笔：比喻有写作的才华。 [11] 都几许：共有多少。 [12] 一川：遍地。

赏析

这首词写的是闲愁。

上阕写词人与一位美人的相遇，但只是一种单相思而已。“凌波不过横塘路，但目送、芳尘去。”横塘，在苏州城外。美人的脚步在横塘前匆匆走过，作者只有遥遥地目送她的倩影渐行渐远，可望而不可即。于是词人就展开了丰富的想象：佳人是怎样生活的呢？“锦瑟华年谁与度？”正值青春年华，可什么人能与她一起欢度呢？这个问句后面自己回答，是月桥，是花院，是雕饰精美的窗，是紧闭的朱户，或许春天才会知道她的居处吧。在词人的想象里，这个佳人生活的环境一定很好，但是她很寂寞。

下阕乍一看，好像转到写景上去了。“飞云冉冉蘅皋暮”，飘飞的云彩舒卷自如，芳草岸旁的日色将暮，实际上这里面有一个小故事。传说中洛神是凌波仙子，她对君主很是思慕。这一句也暗含着词人盼望那位美人直到黄昏，仍然不见踪影，词人很伤心、很失望，于是词人“彩笔新题断肠句”，挥起彩笔写下断肠的诗句。想一想自己的愁思，是一种淡淡的无法言说的愁，却铺天盖地而来，那愁是扯不断、理还乱，于是在最后，词人写出了三个奇妙的比喻："试问闲愁都几许？一川烟草，满城风絮，梅子黄时雨。"连用的三个比喻，都很新奇，又都很贴切，抽象的闲愁可感可知，江南暮春时烟雨迷蒙的情景也历历在目了。这几句深得人们的赞赏。

文史链接

贺铸的故事

贺铸出生在军人世家，身份很高，是外戚——宋太祖赵匡胤孝惠贺皇后的族孙。他祖上七世都任武职。但宋朝重文轻武，于是这将门世家的小公子也饱读诗书，而且特别喜欢填词。但他毕竟是军人的后代，所以他性情很豪爽，平时酷爱武艺，后来做了一名武将。贺铸四十岁前的大好年华都是在军队里度过的。

贺铸长得长身耸目，面色铁青，人称"贺鬼头"。或许人家叫他"贺鬼头"也是因为忌惮他的武艺吧。他的妻子跟他很恩爱，对他一直很好，可惜去世早。宋徽宗大观三年（1109）秋，年过五十岁的贺铸退休回到苏州。当他路过苏州阊门的时候，看到马路上车水马龙，听到青年情侣们的欢笑，不由得想到自己年轻时，也曾与妻子赵氏携手共游阊门，可是现在自己形单影只，满头青丝已经成为白发，一种"头白鸳鸯失伴飞"的凄凉感油然而生。他悼念亡妻的词写得情深意切，后来一直被人们称赞。

思考讨论

这首词最后三句用了哪些修辞方法？

燕山亭·北行见杏花

赵　佶[1]

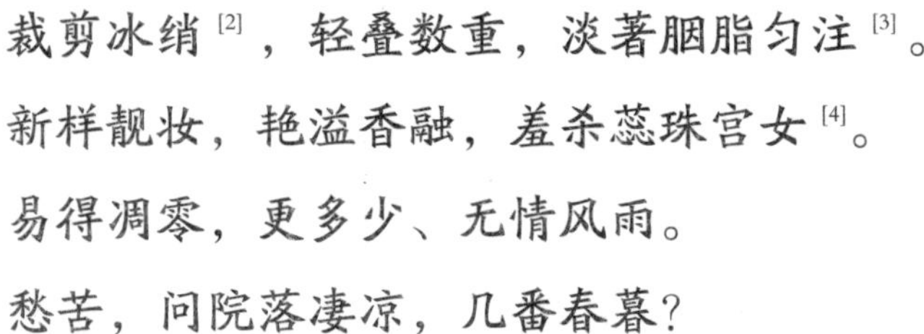

裁剪冰绡[2]，轻叠数重，淡著胭脂匀注[3]。
新样靓妆，艳溢香融，羞杀蕊珠宫女[4]。
易得凋零，更多少、无情风雨。
愁苦，问院落凄凉，几番春暮？

凭寄[5]离恨重重，者[6]双燕何曾，会人言语？
天遥地远，万水千山，知他故宫何处？
怎不思量？除梦里、有时曾去。
无据[7]，和[8]梦也、新来不做。

注释

[1]赵佶（1082—1135）：即宋徽宗，擅长书画。宋神宗第十一子，宋哲宗弟。宋朝第八位皇帝，北宋末期被俘。 [2]冰绡：洁白如冰的丝绢。 [3]匀注：均匀地涂抹。 [4]蕊珠宫女：天上的仙女。蕊珠宫是道家传说的仙宫。 [5]凭寄：托寄。 [6]者：这。 [7]无据：没有依据，没有着落。 [8]和：连。

赏析

这首词曾被王国维称为“血书”，因为抒发的是国破家亡后的沉重悲伤，据说是宋徽宗的“绝笔”。从某种意义上来说，宋徽宗和南唐后主李煜很像，他们在艺术领域都很有天赋，都擅长书法、绘画、诗词，可他们都不是当君主的料，最后都做了亡国之君。只不过，李煜亡在了宋徽宗的祖宗手上，被宋太宗毒死于开封，而宋徽宗亡在了金人手上，在囚禁中病死五国城。两人的个性和经历相似至极，令后人生出无限感慨。

题目中的“北行”是一种委婉的说法，其实那时的赵佶已经是阶下囚，被金人押着一路向北而去。

上阕细细描绘杏花，运笔很细腻。“裁剪冰绡，轻叠数重，淡著胭脂匀注”，那些开放的杏花，如同一叠叠冰清玉洁的丝绸，经过巧手，裁剪出重重的花瓣，还晕染上淡淡的胭脂。“新样靓妆，艳溢香融，羞杀蕊珠宫女”，词人将它们做了一个比喻，这一朵朵活色生香的杏花，似乎就是装束别致的美貌仕女，连天上宫阙里的仙女也比不上。“艳溢香融”把杏花的色泽和香味都写出来了。接下来急转直下，“易得凋零，更多少、无情风雨”。杏花凋零，多么可哀。无情风雨过后，残红遍地。这里就不仅仅是写杏花，也是写自己、写宫人、写自己美好的生活，这些都是容易凋零的啊，一语双关。

下阕写离开的遗憾。“凭寄离恨重重，者双燕何曾，会人言语？”看见燕子飞回故巢，便想托付它们寄去重重离恨，但可惜它们恐怕领会不了吧。“天遥地远，万水千山，知他故宫何处”，这一句明显地喟叹自己已经离故宫很远了，身为俘虏，再见故宫不知何年。见不到也常常思念啊！于是只有做梦了。“怎不思量？除梦里、有时曾去。”最后一句，却是最伤心，“无据，和梦也、新来不做”，梦醒后的痛苦越来越不堪忍受，所以干脆连梦也不要做了吧。真是肝肠寸断。赵佶传世词不多，但这首可以说呕心沥血。

文史链接

宋徽宗与宋钦宗

宋徽宗赵佶是位昏庸的皇帝，可他很有艺术天赋，写得一手“瘦金体”，这种字体看上去很纤细可是笔笔有骨力，是书法中很特别的一种字体。据说金兵围城，直逼汴京（今河南开封）时，他又气又急，一把拉住一位大臣的手说：“我真没想到金人会这样对待我。”话还没说完，他就昏过去了。大臣们急忙请来太医，好不容易把他救醒。醒来之后，他便写下“传位东宫”的诏书，把皇位传给太子。继位的太子就是宋钦宗。父子俩都做了俘虏，被押着到了东北。金人还给两位皇帝起侮辱性封号取乐，叫宋徽宗“昏德公”，宋钦宗“重昏侯”。

两人被关押在五国城。有一天，他们两人遇到一位来自宋朝京师的老者，三人说起往事，禁不住流泪，哭声不小心被路过的城统领听到，那人挥起鞭子就打了他俩十几下。这样的日子实在是生不如死。有一天宋徽宗把衣服剪成条，结成绳子，准备悬梁自尽。没想到，儿子钦宗看见了，他一把将宋徽宗抱下来，父子俩抱头痛哭。

思考讨论

比较这首词与李煜的词，体会二人在国破家亡之际的内心悲伤。

渔家傲

李清照[1]

天接云涛连晓雾，星河[2]欲转[3]千帆舞。
仿佛梦魂归帝所[4]。
闻天语[5]，殷勤问我归何处。

我报路长[6]嗟日暮[7]，学诗谩[8]有惊人句。
九万里风鹏[9]正举。
风休住，蓬舟吹取[10]三山[11]去！

注释

[1] 李清照（1084—1155）：号易安居士。山东省济南章丘人。宋代女词人，婉约词派代表。有《漱玉词》。 [2] 星河：银河。[3] 转：《历代诗余》作“曙”。 [4] 帝所：天帝居住的地方。[5] 天语：天帝的话语。 [6] 路长：隐括屈原《离骚》中的“路曼曼其修远兮，吾将上下而求索”之意。 [7] 嗟：慨叹。日暮：隐括屈原《离骚》中的“欲少留此灵琐兮，日忽忽其将暮”之意。[8] 谩：徒，空。 [9] 鹏：古代神话传说中的大鸟。 [10] 蓬舟：像蓬蒿被风吹转的船。古人以蓬根被风吹飞喻飞动。吹取：吹到。[11] 三山：传说中蓬莱、方丈、瀛洲三座海上仙山。

赏析

这是一首很特别的词，因为它是被称为婉约派代表人物的李清照的作品，可是却没有女子的婉约，而是设想与天帝问答，景象壮阔，气势磅礴，很接近豪放风格。

词上阕一开头，“天接云涛连晓雾，星河欲转千帆舞”。这样开阔大气的境界，为唐五代以及两宋词所少有。天、云、雾、星河、千帆等等，这些都是很壮丽的景象。天幕低垂，波涛汹涌，云雾弥漫。“接”、“连”二字将三者连在一起。“星河欲转”，是写词人从颠簸的船舱中仰望天空，天上的银河似乎在转动一般。“千帆舞”，海上刮起大风，无数的船乘风破浪飞舞前进。因为这首词写的是“梦境”，所以接下来有“仿佛”三句。“梦魂”二字是全词的关键。在想象中，天帝“殷勤问我归何处”，很关心的样子。

下阕改为自己在梦里的回答。“我报路长嗟日暮”的“报”字与上阕的“问”字，是很明显的一问一答。“路长日暮”反映了词人孤苦无依的痛苦经历，而且还将《离骚》中“路曼曼其修远兮，吾将上下而求索”化用进去，却又让人看不出痕迹。后面“学诗谩有惊人句”是词人在天帝面前倾诉自己有才华却不幸，但不甘命运的摆弄，所以奋力挣扎。后面三句就不是在哀叹了，“九万里风鹏正举”，不再是和天帝对话，而是想到了大鹏“扶摇直上九万里”，正在大鹏高举的时刻，词人最后两句“风休住，蓬舟吹取三山去”写得大气磅礴，词人用旧的典故写出了新意。意思是自己敢借大鹏振翅飞到九天的风力，即便坐着一叶蓬舟，也可吹到三山去。最后交代海中仙山是词人的归宿，回应了上阕天帝的问话。

文史链接

词女之夫

宋徽宗建中靖国元年（1101）春，京城汴京（今河南开封）一派热闹气象。汴河之上虹桥飞架，大小船只往来不息。宫城宏伟大气，街市熙熙攘攘。忽然，喜庆的唢呐声传来，原来是时任礼部侍郎的赵挺之的第三子赵明诚迎娶礼部员外郎李格非的掌上明珠李清照。说起这二位的姻缘，还有一个有趣的小故事。

李清照在少女时期就写了很多优秀的词作，还获得了师长们的交口称赞。据说赵明诚有一次睡午觉，睡着睡着，自己仿佛看到一张纸，上面写着“言与司合，安上已脱，芝芙草拔”，好像是个谜语，梦里面他猜了半天也不得要领，醒来后还在琢磨。后来他和父亲闲聊的时候，就把这个谜语透露给他父亲。他父亲沉吟半晌，说道：“这是个拆字谜，你的姻缘恐怕应在这个谜底上，‘词女之夫’。这汴京城谁算得上是词女呢？恐怕就是李员外的爱女了。”随后赵挺之就派媒人上李格非家提亲了。

赵明诚和李清照婚后非常恩爱，被人称为天作之合。

思考讨论

这首词中哪些词句让你感觉与婉约词风不同？

醉花阴

李清照

薄雾浓云愁永昼[1]，瑞脑[2]销金兽[3]。
佳节又重阳，玉枕纱厨[4]，半夜凉初透。

东篱[5]把酒黄昏后，有暗香[6]盈袖。
莫道不销魂[7]，帘卷西风，人比黄花[8]瘦。

注释

[1]永昼：漫长的白天。 [2]瑞脑：一种香料，俗称冰片。 [3]金兽：兽形的铜香炉。 [4]纱厨：纱帐。 [5]东篱：泛指采菊之地。 [6]暗香：这里指菊花的幽香。 [7]销魂：形容极度忧愁、悲伤。 [8]黄花：菊花。

赏析

这首词写在重阳节，丈夫不能与自己一起过节，所以很思念他。上阕一开始就写“薄雾浓云愁永昼”，这愁像云雾一般笼罩在词人心头。“瑞脑销金兽”，炉子里的香烧完了。接下来三句从夜间着笔，“佳节又重阳”点明时令，一个“又”字表达了寂寞愁苦的感情。因为丈夫不在身边，所以才会“玉枕纱厨，半夜凉初透”。“玉枕”，形容华美的枕头，可能是瓷枕。“纱厨”，即碧纱橱，以木架罩以绿色轻纱，内可置榻，用以避蚊。“玉枕纱厨”挡不住透人肌肤的秋寒，如今自己孤眠独寝，真是伤心。一个“凉”字，不只是身体所感之凉，更是心灵所感之凄凉。

下阕倒叙黄昏时独自饮酒。“东篱把酒黄昏后，有暗香盈袖”，重阳节傍晚，东篱下，菊圃前，词人把酒独酌。古人在九月九日重阳节这天会赏菊饮酒，原本这是很有情趣的事情，可丈夫远游，词人寂寞冷清，不禁触景生情，悲愁无限。最后三句，“莫道不销魂，帘卷西风，人比黄花瘦”广为称颂。“帘卷西风”，也就是“西风卷帘”，离开东篱到闺房，瑟瑟西风把帘子掀起，联想到刚刚把酒相对的菊花，顿时觉得人比菊花还要瘦。词人巧妙地将思妇与菊花相比，让人想到萧瑟的秋风下，羸弱的瘦菊在摇曳；另一面，思妇布满愁云的憔悴面容在闪现。情景交融，不能不说是千古佳句。

文史链接

人比黄花瘦

婚后，李清照和赵明诚两人情投意合，很是恩爱。两人总是会去相国寺买些碑帖古玩、瓜果蔬食。两人回家后，就一起欣赏买来的书或者碑帖，其乐融融。

可是，小夫妻也有分开的时候。有一年重阳，赵明诚不在家。李清照填了一首《醉花阴》词，寄给丈夫。赵明诚得词，想到自己重阳不在妻子身旁，一时感慨万千，便也提笔填重阳词。这一写废寝忘食三日，最后得词五十阕，他把妻子的词也一并放了进去。他正坐在那里修改自己的作品，好友陆德夫过来拜访。赵明诚心下想着这次看看老友的眼力，就把这些词一股脑儿都给了陆德夫，然后等着老友的评价，心中暗想自己的词填得也不一定比妻子差。

没想到陆德夫沉吟良久，说道："我觉得'莫道不销魂，帘卷西风，人比黄花瘦'这三句最佳，其他都比不上啊。"赵明诚一听，这不正是李清照的句子吗？于是他就把实情说了出来，同时对妻子填词的才华更加佩服。

思考讨论

这首词最后三句描写了词人怎样的情感？

声声慢

李清照

寻寻觅觅，冷冷清清，凄凄惨惨戚戚。
乍暖还寒[1]时候，最难将息[2]。
三杯两盏淡酒，怎敌他、晓来[3]风急。
雁过也，正伤心，却是旧时相识。

满地黄花堆积，憔悴损、如今有谁堪摘。

守着窗儿，独自怎生[4]得黑？

梧桐更兼细雨，到黄昏，点点滴滴。

者次第[5]，怎一个愁字了得！

注释

[1]乍暖还寒：谓天气忽冷忽暖。 [2]将息：调养休息，保养安宁之意。 [3]晓来：今本多作“晚来”。 [4]怎生：怎样，如何。生，语助词。 [5]者次第：这情形，这景色。

赏析

南北宋之交，靖康之变后，国破家亡，和自己情投意合的丈夫也死了，这首词便是李清照表达对丈夫的怀念和感慨自己孤单凄凉的景况。

上阕一开始，就用了七组叠词：“寻寻觅觅，冷冷清清，凄凄惨惨戚戚。”这一组叠词难度很高，足见李清照的才气。这组叠词是循序渐进的，先是动作，再是环境，最后是心情。而且这组叠词还很有音乐美。李清照填词，对音律的要求遵守很严格。这七个叠词，读起来高高低低，婉转凄楚。“乍暖还寒时候，最难将息”，这种乍暖还寒的天气，词人连觉也睡不着了。如果能睡去，或许还能在梦中看到自己的丈夫吧。“三杯两盏淡酒，怎敌他、晓来风急。”睡不着，那就喝一点酒暖暖身子吧。可这风带来的寒冷让人难以忍受啊，因为自己的心原本就是凄凉的。“雁过也，正伤心，却是旧时相识。”突然听到孤雁的一声悲鸣，词人正在伤心自己如

今孤独终老，余生独自一人，蓦然觉得那只孤雁就是以前为自己传递情书的那一只啊。其实这是不可能的，但词人就在想象中把它变为可能了，这样就更显出词人那无法诉说的哀愁了。

下阕写菊花，“满地黄花堆积，憔悴损，如今有谁堪摘”，看见那些菊花，才发现花儿已憔悴不堪，堆积在地上，现在谁还有心思去摘呢？不仅花憔悴，人更憔悴。“守着窗儿，独自怎生得黑？”独守窗前，怎样才能挨到天黑呢？如今只剩下自己一个人在忍受这无边无际的黑暗和孤独了。“梧桐更兼细雨，到黄昏，点点滴滴”，好不容易等到了黄昏，却又下起雨来。点点滴滴，从梧桐叶上落下，都是愁思啊。于是最后直截了当地说：“者次第，怎一个愁字了得！”很直白，但也很巧妙。因为前面做了很多铺垫，所以直接抒发感情一点也不觉得矫情。

文史链接

赌书消得泼茶香

李清照的公公死后，婆婆郭氏带着全家回到了山东青州。在那里，她和丈夫度过了十年的快乐生活。

李清照天性博闻强记，每次吃完饭，便和赵明诚坐在自家的归来堂上烹小龙团茶。两人进行“赌书”游戏，就是指着堆积的书史，抢先说某一典故出在某书某卷第几页第几行，以猜中与否来决出胜负，胜者先饮茶。这个游戏的胜利者常常是李清照，猜中了，她便举杯大笑，以至把茶倒在怀中，起来时反而饮不到一口。后来清朝的著名词人纳兰性德曾经写过“赌书消得泼茶香，当时只道是寻常”这样一句千古名句，仿佛就是对赵李这段生活最诗意的概括。然而后面的那一句，隐含了李清照和赵明诚在北宋灭亡后的悲惨生活。当时认为是寻常做的事情，到了北宋灭亡后几乎就再也没有闲情逸致去做了。

一晃到了南宋建炎三年（1129）的八月。两年前，北宋灭亡。四十六岁的李清照来不及流泪，她刚从池阳（今安徽）乘船赶到建康（今江苏南京），简直难以相信眼前这个眼窝深陷、憔悴不堪的人是自己的丈夫。赵明诚在颠沛流离中得了重病，已经到了油尽灯枯的地步了。十八日，他取笔作诗，绝笔而逝，留下人到中年的李清照孤独一人在南宋初年的乱世里漂泊无依。从此，李清照再也没有了那个一起比赛欢笑的伙伴，再也没有自己可以依靠的怀抱。赌书消得泼茶香，从此成了绝唱。

思考讨论

仔细品味这首词中的叠字句，分析这些叠字的妙处。

正编（下） 寒梅怒绽——南宋词

满江红

岳 飞[1]

怒发冲冠[2]，凭阑处、潇潇[3]雨歇。
抬望眼，仰天长啸[4]，壮怀激烈。
三十功名尘与土[5]，八千里路云和月[6]。
莫等闲[7]、白了少年头，空悲切。

靖康耻[8]，犹未雪。
臣子憾，何时灭。
驾长车踏破、贺兰山[9]缺。
壮志饥餐胡虏肉，笑谈渴饮匈奴血。
待从头、收拾旧山河，朝天阙[10]。

注释

[1]岳飞(1103—1142):字鹏举。北宋相州汤阴(今河南安阳)人。中国历史上著名战略家、军事家、抗金名将。 [2]怒发冲冠:

形容愤怒至极，头发都竖了起来。典故出自司马迁描写蔺相如的“怒发上冲冠”。 [3] 潇潇：形容雨势急骤。 [4] 长啸：撮口发出清而长的声音。 [5] 三十功名尘与土：三十年来，建立了一些功名，但是很微不足道。 [6] 八千里路云和月：形容南征北战路途遥远，披星戴月。 [7] 等闲：轻易，随便。 [8] 靖康耻：宋钦宗靖康二年（1127），金兵攻陷汴京，虏走徽、钦二帝。[9] 贺兰山：贺兰山脉，位于宁夏回族自治区与内蒙古自治区交界处。 [10] 朝天阙：朝见皇帝。天阙，本指宫殿前的楼观，代指皇帝生活的地方。

赏析

南宋词从整体上来说，主要风格还是婉约细密的，而不是岳飞《满江红》这一路抒发豪迈激越悲壮感情的风格。但之所以把这首词放在南宋的第一首，是因为在那个南北宋之交的年代里，这首词中的英雄之气慷慨淋漓，挺起了中华文化的脊梁。一直到现在，这首词依然激励着中华儿女。

前四字一上来就表示自己愤怒得头发都竖了起来，这是不共戴天的深仇大恨。怎么会这么愤怒呢？词人采用了倒叙的手法。他独上高楼，倚着栏杆，看着眼前美好风景，正好骤急的风雨刚刚停歇，空气澄净。作者抬头远望天空，禁不住仰天长啸，报国的拳拳心意充斥胸中。词的开头气势磅礴，到“潇潇雨歇”略微顿了一顿。之后作者回忆自己半生戎马生涯：“三十功名尘与土，八千里路云和月。”三十多年来虽已建立了一些功业，但不过如尘土般微不足道；南北转战八千里，经过多少风云人生。上一句从时间角度写，下一句从空间角度写，都是对自己半生功业的总结，总结过后，词人就发出呼吁：好男儿，要抓紧时间为国建功立业，不要将青春消磨，等年老时徒自悲切。这一句短促有力，流传千古，成为人们珍惜时间的名句。

下阕点明了靖康之变的耻辱，至今仍没有洗雪。作为国家臣子的憾恨，何时才能泯灭！接下来的感情气势如虹：我要驾着战车向贺兰山进攻，连贺兰山也要踏为平地。我满怀壮志，打仗饿了就吃敌人的肉，谈笑渴了就喝敌人的鲜血。待我重新收复旧日山河，再带着捷报向国家报告胜利的消息！

金兵入据中原，特别害怕治军严明的岳家军，几乎称得上是闻风丧胆。词人在这里用了夸张的修辞手法，但因为有一股真气贯穿始终，所以不觉得突兀。最后三句“待从头、收拾旧山河，朝天阙”，一腔热血，发自肺腑，全篇结束。

文史链接

莫须有

南宋和金打仗总是失败，后来有了绍兴和议停战谈判。之后金朝的兀术派使者送密信给南宋的宰相秦桧说：“我知道你们现在是求和的心思，可是你们留着岳飞，我们不放心。有他在，我们很怀疑你们求和的诚意，你们一定得想法子把他除掉。”

秦桧于是唆使他的同党、监察御史万俟卨（Mòqí Xiè，万俟是姓）向朝廷上了一道奏章，说岳飞骄傲自大，捏造岳飞在金兵进攻淮西时拥兵不救、放弃阵地等许多“罪名”。岳飞知道秦桧跟他过不去，就主动要求辞职，当时的皇帝宋高宗马上批准了。可是，岳飞不死，他们心里不安。于是新一轮的迫害开始了。

当时有员大将叫张俊，他原来是岳飞的上司，后来岳飞立了大功，遭到张俊的妒忌。秦桧知道张俊对岳飞不满，就勾结张俊，唆使岳家军的部将诬告另一个部将张宪想占据襄阳，发动兵变，帮助岳飞夺回兵权，还诬告岳飞的儿子岳云曾经写信给张宪，秘密谋划这件事。

凭着这个借口，秦桧奏请高宗下令逮捕岳飞、岳云到大理寺受审。秦桧派人审问，岳飞一句话也不回答，只见他扯开上衣，露出脊背，背上刺着“精忠报国”四个大字。审问的官员一看，大为震动，不敢再审，就把岳飞押回了监狱。

秦桧换了万俟卨去审问岳飞，反复拷问，可是岳飞坚决不承认自己犯错。有一天，万俟卨又逼岳飞写供词，岳飞在纸上只写下八个大字：“天日昭昭，天日昭昭。”

就这样过了一段时间，朝廷上的很多朝臣都觉得岳飞是冤枉的。老将韩世忠忍不住亲自去找秦桧，责问他凭什么说岳飞谋反。秦桧蛮横地说：“这事目前没有证据，但是莫须有啊。”“莫须有”就是“也许有，或许有”的意思。

有一天，秦桧上朝回家，跟他妻子王氏在东窗下一起喝酒。王氏是个比秦桧还狠毒的人，她看出秦桧还在犹豫要不要马上杀岳飞，于是冷笑着说：“你真是优柔寡断呢！要知道缚虎容易放虎难啊！”秦桧听了王氏的话，狠了狠心，马上亲手写了一个纸条，秘密派人送到监狱。在一个寒冷的夜里，我们的抗金英雄岳飞牺牲了。

现在的杭州西湖边上还有岳坟，在岳飞墓门对面，放着用生铁浇铸的秦桧、王氏、万俟卨和张俊四个反剪双手的跪像。人们就是用这样的方式表达着对英雄的景仰和对卖国贼的憎恨之情。

思考讨论

你知道“靖康耻”指的是什么历史事件吗？

卜算子·咏梅[1]

陆　游[2]

驿外[3]断桥[4]边，寂寞开无主[5]。
已是黄昏独自愁，更著[6]风和雨。

无意苦[7]争春，一任[8]群芳妒。
零落[9]成泥碾[10]作尘，只有香如故。

注释

[1]卜算子:《词律》认为调名来自于“卖卜算命之人”。　[2]陆游(1125—1210):字务观，号放翁。越州山阴(今浙江绍兴)人。南宋著名诗人。　[3]驿外:指荒僻之地。驿，驿站，古代传递公文的人中途换马匹、休息、住宿的地方。　[4]断桥:残破的桥。　[5]无主:无人过问的意思。　[6]著:同“着”,这里是遭受的意思。　[7]苦:尽力，竭力。　[8]一任:任凭。　[9]零落:凋谢。　[10]碾:轧碎。

赏析

这首《卜算子》以“咏梅”为题，可以称得上是词作中咏梅的代表作。词人表面上写梅花，实际上是在写自己的品格，这和周敦颐的《爱莲说》一样，是借花来写人。

词人笔下的梅花不是在小园中，而是开在郊野的驿站外面，破败不堪的“断桥”边上，这里人迹罕至，梅花当然也备受冷落。随着四季的轮换，它默默地开，又默默地凋落。词人将它拟人化，“寂寞开无主”，它是无主的梅啊，谁来欣赏它，谁来怜惜它呢？词人将自己的感情倾注在客观景物之中了。黄昏时分，暮色朦胧，愁绪难免会弥漫。而这冷清清、孤零零的梅花，怎么承受这份凄凉呢？它只能“独自愁”，与上句“寂寞”遥相呼应。这一切已经够愁苦了，可是这还不够，还要再添上凄风苦雨，这种愁苦的感觉就更深了。可是不管这些环境再怎么恶劣，它还是傲然开放了。

下阕通过梅花来寄托词人的志向。梅花是春天里开得最早的花，是它迎来了春天。春天时百花争奇斗艳，竞相开放，词人笔下的梅花“无意苦争春”，无心地冒着春寒料峭，该在早春开放就开放了。梅花并非有意相争，即使“群芳”有妒心，就任凭它们去嫉妒吧。这里是明显地将梅花拟人化了。这两句表现出词人品性高洁、不与人同流合污的傲骨。最后两句，更深一层。“零落成泥碾作尘”，花朵凋零，被践踏成泥土了，被碾成尘灰了，可词人笔锋一转，“只有香如故”，它的香味依然和原来一样。

文史链接

陆游和唐婉

自古以来江南多才子，陆游就是其中一个。童年时期，正逢

宋与金交战，他常随家人四处逃难。他的舅舅唐诚有一个女儿，名叫唐婉，文静灵秀，和陆游很谈得来。青梅竹马的陆游和唐婉成年后就结婚了。陆游那时还没考取功名，可是新婚燕尔的他日日醉倒在温柔乡中，根本没时间去看书、准备考试。陆游的母亲是一位很严肃的女性，在家里说一不二。她一看儿子只顾着和妻子谈情说爱而无心学习了，就觉得是儿媳妇干扰了自己儿子学习，对她很不满。有一次，她还请人算命，算命先生说这对小夫妻在一起的话，唐婉会给陆游带来不幸，于是她立刻要求陆游休了唐婉。陆游很爱自己的妻子，可是他也很敬重自己的母亲。没办法，他选择了母亲，只好写了休书。他的母亲后来又帮他娶了另外一个老实本分的姑娘做妻子。

几年后的一个春天，陆游漫步到禹迹寺的沈园。这里花木扶疏，曲径通幽，是当地人游春赏花的好去处。突然，不远处走来一位美丽的女子，定睛一看，竟然是前妻唐婉。此时的唐婉，已经由家人做主嫁给了当地的一个士人，叫赵士程。曾经的夫妻相见，想起当年的痛苦离别，禁不住眼底湿润，可如今都各自成家，再也不可能回头，于是陆游感慨万端，提笔在沈园的粉壁上题了一阕《钗头凤》：“红酥手，黄縢酒。满城春色宫墙柳。东风恶，欢情薄，一怀愁绪，几年离索。错，错，错！春如旧，人空瘦。泪痕红浥鲛绡透。桃花落，闲池阁，山盟虽在，锦书难托。莫，莫，莫！”这词里的“东风恶”，或许就是他在委婉地埋怨自己母亲当年拆散鸳鸯的行为吧！

思考讨论

请再找几首咏梅词，体会不同的意境。

青玉案·元夕[1]

辛弃疾[2]

东风夜放花千树[3]，更吹落、星如雨[4]。
宝马雕车[5]香满路，凤箫[6]声动，
玉壶[7]光转，一夜鱼龙舞[8]。

蛾儿雪柳黄金缕[9]，笑语盈盈[10]暗香[11]去。
众里寻他[12]千百度[13]，蓦然[14]回首，
那人却在，灯火阑珊[15]处。

注释

[1]元夕：正月十五日元宵节，古代又叫上元节，此夜称元夕或元夜。农历正月被称为元月，古称夜晚为“宵”。正月十五是一

年中第一个月圆之夜，所以称正月十五为元宵节。 [2]辛弃疾(1140—1207):字幼安,号稼轩,历城(今山东济南)人。著名词人。有《稼轩长短句》。 [3]千树：此处是比喻花灯很多，仿佛千树开花。 [4]星如雨：指焰火纷纷，乱落如雨。 [5]宝马雕车：豪华的马车。 [6]凤箫：泛指箫。 [7]玉壶：比喻明月。 [8]鱼龙舞：这里指舞动鱼形、龙形的彩灯。[9]蛾儿雪柳黄金缕：都是指古代妇女元宵节时头上佩戴的各种装饰品。这里用来指盛装的妇女。 [10]盈盈：声音轻盈悦耳，也有仪态娇美的样子。 [11]暗香：这里指女性身上散发的香气。 [12]他：那个人，并没有确指是谁。 [13]千百度：千百遍。 [14]蓦然：突然，猛然。 [15]灯火阑珊：灯火零落稀疏的样子。

赏析

这首词是写元宵节的名作，我们来看看它是怎么描写的。“东风夜放花千树，更吹落、星如雨”，这三句是在描写烟火。宋代的时候元宵节就流行放烟花了，虽然没有我们现在能看到的那么丰富，却也一样美丽炫目。一簇簇的礼花飞向天空，然后像流星雨一样散落下来。这一开始就是对烟花的直接描写,立刻把人带进“火树银花”的节日氛围中。仰头是烟花,平视就看到“宝马雕车香满路”了。达官显贵在这一天也带着家人出门观灯，他们的车当然都很名贵,所以称为“宝马雕车”。紧接着是耳朵听,眼睛看:“凤箫声动,玉壶光转，一夜鱼龙舞。”“凤箫”是排箫类的吹奏乐器，这里泛指音乐;“玉壶”比喻天上一轮明月;“鱼龙”则是形容灯笼的形状。在月华下，人间一片灯火辉煌，万民同欢，沉浸在节日里的人们载歌载舞。

下阕就是描写词人在那个元宵节独有的经历了。开头是对一个群体的描写："蛾儿雪柳黄金缕，笑语盈盈暗香去。"这两句写的是元宵观灯的女性。词人只是描写了她们戴着的漂亮首饰，让人感觉到这些人的盛装。她们所过之处，阵阵暗香随风飘来。最后两句是千古名句，也是一个定格画面。"众里寻他千百度"，对着众多走过的女人，要寻找到她——他所等待的人，千百遍也难寻啊。正在失望之际，词人笔锋一转，"蓦然回首，那人却在，灯火阑珊处"。偶一回头，却发现自己要找的那个"她"正站在灯火零落的地方呢。这一定格画面余味无穷。词人把等待、寻找、焦灼、失望之后发现希望就在眼前的那种从天而降的惊喜的心路历程描写得很到位。

文史链接

文武双全的辛弃疾

辛弃疾是著名的大词人。我们心目中的文人常常手无缚鸡之力，可是辛弃疾却不一样，他的武功和胆识是赫赫有名的。辛弃疾出生在山东济南，那时北方大片的地区已成为金朝的统治区。自幼丧父的他由祖父一手拉扯大，在祖父的教育下，辛弃疾不仅诗文写得好，剑术高超，而且从小就立下了抗金爱国的大志。

有句话说，"秀才造反，三年不成"，说的是文人常常会考虑太多，得失心太重，所以很少有读书人揭竿起义的。但是就在辛弃疾二十二岁那年，金主完颜亮率兵南下，中原地区的百姓不堪金朝的压迫，纷纷起义。辛弃疾也毅然率众起义，组织了有两千多人的队伍。他带着起义部队，投奔了在山东影响最大的农民起义军领袖耿京。金朝换了个皇帝，这个新皇帝对起义军采用了分化瓦解、各个击破的手段，耿京领导的起义军是他们的重要目标。

这时，辛弃疾力劝耿京到南方去，取得南宋朝廷的支持，接受南宋朝廷的领导，与宋军配合作战。于是耿京立刻派辛弃疾为代表，和南宋朝廷联系。宋高宗在建康（今江苏南京）接见了他们。就在辛弃疾等人回山东复命的时候，一个坏消息传来：耿京的部下张安国等人在金朝的收买下，杀死了耿京。起义军大多溃散了，张安国却当上了金朝的官。辛弃疾来不及悲伤，他带着五十名精锐将士直接冲到张安国处，活捉了他。此次行动中，他雷厉风行，杀伐果断的一面展露无遗。

思考讨论

这首词表面上看是一首节序词，实际上写的是一种理想、一种追求、一种独到的美学观。请仔细体会这首词的“词外之意”。

水龙吟·登建康赏心亭

辛弃疾

楚天千里清秋，水随天去秋无际。
遥岑[1]远目，献愁供恨，玉簪螺髻[2]。
落日楼头，断鸿[3]声里，江南游子。
把吴钩[4]看了，阑干拍遍，无人会、登临意。

休说鲈鱼堪脍，尽西风、季鹰[5]归未？

求田问舍[6]，怕应羞见，刘郎才气[7]。
可惜流年[8]，忧愁风雨[9]，树犹如此[10]。
倩[11]何人、唤取红巾翠袖[12]，揾[13]英雄泪？

注释

[1]遥岑：远山。 [2]玉簪（zān）螺髻（jì）：玉簪，碧玉簪。螺髻，指螺旋盘结的发髻。这里都是形容远山秀美的样子。 [3]断鸿：失群的孤雁。 [4]吴钩：两面有刃，属于剑的一个变种，本指一种弯形的剑。这里代指利剑。 [5]季鹰：晋朝的张翰（字季鹰），在洛阳做官，见秋风起，想到家乡吴中的鲈鱼等美味，于是就弃官而归。 [6]求田问舍：置地买房的意思。 [7]刘郎：这里指刘备。才气：这里指的是胸怀、气魄。 [8]流年：流逝的时光。 [9]风雨：比喻飘摇的国势。 [10]树犹如此：这暗含了《世说新语》里的一个故事，桓温北伐经过金城，看见从前所种柳树已长得十分粗大，于是很感慨："木犹如此，人何以堪！"意思是树尚且长得这么快，人怎能忍受（得了岁月的消磨）呢？ [11]倩：请，央求。 [12]红巾翠袖：这里代指女子。 [13]揾（wèn）：擦拭。

赏析

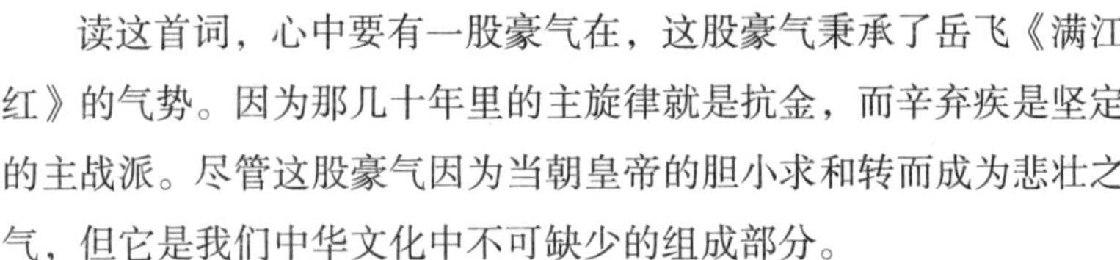

读这首词，心中要有一股豪气在，这股豪气秉承了岳飞《满江红》的气势。因为那几十年里的主旋律就是抗金，而辛弃疾是坚定的主战派。尽管这股豪气因为当朝皇帝的胆小求和转而成为悲壮之气，但它是我们中华文化中不可缺少的组成部分。

开头两句，“楚天千里清秋，水随天去秋无际”，这是作者在建康城的赏心亭上所见的景色。正值秋高气爽，抬眼一看，天空辽远空阔，秋色无边无际。“楚”泛指长江中下游一带，因为战国时这片地区属于楚国。“水”指的是奔流不息的长江。紧接着就是“遥岑远目，献愁供恨，玉簪螺髻”三句，写词人眺望的山。举目远眺，那层峦叠嶂有的像美人头上的玉簪，有的像美人头上螺旋形的发髻，景色越是美好，越是让词人想到在金人统治下的北方失地，于是连带着这山也染上了忧愁和愤恨。上阕写景，连起来就是：辽阔的南国晴空万里，秋高气爽，江水流向无涯的天际。我在楼上极目遥望远处的山，群山很美，像美人头上的玉簪和螺髻，可这美景更引起我（对国土沦落）的忧愁和愤恨啊！夕阳西下，斜照楼头，长空孤雁悲鸣阵阵，我这流落江南的思乡游子，手持宝剑，狠狠地把楼上的栏杆都拍遍了，也没有人能领会我现在登楼的心意！

什么心意呢？下阕借着几个小故事表达了自己的想法。

“休说鲈鱼堪脍，尽西风、季鹰归未”，不要说鲈鱼肉味鲜美，如今秋风吹遍大地，张季鹰怎么还没回乡？这句有两个意思。一则是我这个游子在江南，想回到自己的家乡——如今被金人占据的地方，因为朝廷没有收复失地，想回也回不去啊！二则暗含的意思是我不会像西晋的张季鹰，为贪吃家乡美味而弃官。“求田问舍，怕应羞见，刘郎才气”，如果像只想着自己购置田地房产的许汜，那就无颜见胸襟广阔的刘备了。暗含着自己也不会像许汜那样只顾个人私利。

“可惜流年，忧愁风雨，树犹如此”，这几句要联系上面的两个小故事中暗含的情感来理解：即使我心中确实想念故乡，但我也不会像张瀚、许汜两位那样贪图安逸。我担心忧虑的是时光流逝，收复失地遥遥无期。如今我渐渐老去，现在不被朝廷任用恐怕就再也没机会疆场杀敌了啊！最后三句“倩何人、唤取红巾翠袖，揾英雄泪”表面上是说，哪位美人能帮我擦去这英雄泪啊！其实是在说自己的抱负不能实现，却没有知己同情与安慰，这三句和上阕的“无人会、登临意”遥相呼应。

文史链接

归隐田园的辛弃疾

辛弃疾在南宋的朝廷里过得并不是很舒心，他一直主张要打仗收复失地，可是朝廷里有一派人要议和，而且这帮人的意见占了上风，因为最高领导人宋高宗是议和派，可以想见，辛弃疾自然郁郁寡欢。

四十二岁时，他因为受到弹劾被免职，到了江西上饶隐居。不过宋朝给官员们的待遇是很好的，即便被免职了，辛弃疾的生活质量还是很高。可惜，从那时起，他除了有过短暂的起用外，大部分时间都在隐居了。隐居，在中国古时候是一个颇为时髦的词，大多数文人的心中都有一个梦想，那就是隐居，不过，要加个前提，那就是功成身退后再隐居。作为一个热血男儿，原本正是大有作为的壮年，却被迫离开政治舞台，这真是令人难过。所以，辛弃疾的心中总是有两个声音：一个尽情赏玩着山水田园风光，另一个希望金戈铁马，驰骋疆场。他的一生就在这两种情感交织的起伏中度过。

思考讨论

说一说这首词中用了哪几个典故。

点绛唇

姜　夔[1]

丁未[2]冬，过吴松[3]作。

燕雁[4]无心，太湖西畔随云去。
数峰清苦，商略[5]黄昏雨。

第四桥[6]边，拟共天随[7]住。
今何许[8]？凭阑怀古，残柳参差舞。

注释

[1]姜夔(1154—1221):字尧章,别号白石道人。南宋著名词人、文学家、音乐家。有《白石道人歌曲》。 [2]丁未:丁未年,即宋孝宗淳熙十四年(1187)。 [3]吴松:现在的吴县,属江苏苏州。 [4]燕(yān)雁:指北方幽燕一带的鸿雁。 [5]商略:商量,酝酿。 [6]第四桥:这里指吴松城外的甘泉桥。 [7]天随:唐代陆龟蒙,自号天随子。 [8]何许:何处,何时。

赏析

题目下的小序,表明词人是在丁未年冬天,自湖州往苏州路上经过吴松时所作。

上阕写景,连起来是说来自北方的大雁似乎无心赏景,从太湖西畔随着飘忽不定的流云向天边飞去。接下来就写山峰了。辛弃疾《水龙吟》中的山“献愁供恨”,看起来外形像“玉簪螺髻”;姜夔笔下的山直接被拟人化,而且说“商略黄昏雨”,几座孤零零的山峰,默默矗立又仿佛在互相低语:黄昏时分将下大雨。这一句写得很生动,历来被人们称赞。

下阕则是抒发自己的怀古之情。我如今就像那燕雁一样,浪迹江湖,打算留在甘泉桥畔,那是唐代隐士陆龟蒙曾住过的地方,我住那里,也算得上是和他做邻居了。“今何许”三字包含很多意思。既是作者在问如今是何时,暗含怀古之意;又有如何去面对现在的情景之意。接下来写词人凭栏怀古,只看见残败的杨柳上下飘舞。这样一写,就有了无限沧桑之感。

文史链接

姜夔的故事

姜夔也叫姜白石，这个白石，来源于他的号“白石道人”。这个号也是有故事的。相传在很久以前，有位游戏人间的“白石生”，他已经两千多岁了，可是他不求飞升成仙，只求长生不死，在人间逍遥自在。他住在白石山上，煮白石作为食物，因此得名“白石生”。不过这个连神仙也羡慕的“白石生”日子过得很逍遥，而姜夔这位“白石”就比较清苦了，他曾经夸张地表示自己肚子饿了就吃白石来充饥。

姜夔年轻的时候，客居合肥赤栏桥边，遇到了他一生都难以忘怀的爱情。姜夔那时对人生充满希望，长得又是一表人才，住在附近的一对姐妹花不由得对他芳心暗许。姐妹俩对乐器很熟悉，操琴弹琵琶不在话下。姜夔常常和她们一起，一个填词作曲，另外两个就弹唱，其乐融融。这段浪漫的邂逅让姜夔刻骨铭心，即便后来落魄江湖，和姐妹花分开，他对她们的爱慕之情仍然没有停止，常常在词中流露出思念之情。因为姐妹花姓柳，他就常常借柳树来表达。

思考讨论

这首词是怎样来写景的？

暗香

姜夔

辛亥[1]之冬，余载雪诣石湖[2]。止既月[3]，授简[4]索句，且征新声[5]，作此两曲。石湖把玩不已，使工妓隶习[6]之，音节谐婉。乃名之曰《暗香》、《疏影》。

旧时月色，算几番照我，梅边吹笛。
唤起玉人，不管清寒与攀摘。
何逊[7]而今渐老，都忘却、春风词笔。
但怪得[8]、竹外疏花，香冷入瑶席。

江国，正寂寂。叹寄与路遥，夜雪初积。
翠尊[9]易泣，红萼[10]无言耿[11]相忆。
长记曾携手处，千树[12]压、西湖寒碧。
又片片、吹尽也，几时见得？

注释

[1]辛亥:宋光宗绍熙二年(1191)。 [2]石湖:在苏州西南,与太湖通。范成大居此,因号石湖居士。 [3]止既月:指住满一月。 [4]简:纸。 [5]征新声:征求新的词调。 [6]工伎:乐工、歌妓。隶习:学习。 [7]何逊:南朝梁人,任扬州法曹时,门前有梅花一株,常吟咏其下。后居洛思之,请再往。抵扬州,逊对树彷徨终日。 [8]但怪得:表惊异。 [9]翠尊:翠绿酒杯,这里指酒。 [10]红萼:指梅花。 [11]耿:耿然于心,不能忘怀。 [12]千树:杭州西湖孤山的梅花成林。

赏析

首先我们来看一下小序。辛亥年冬天,冒着雪花,词人应邀到苏州附近的石湖别墅做客。主人是谁呢?范成大。当时他退休隐居在苏州。一个月后,范成大希望姜白石创作新曲,于是白石创作了两首词。范成大吟赏不已,让乐工歌伎练习演唱,音调节律悦耳婉转,于是将这两首新词命名为《暗香》、《疏影》。

这两首词其实都是写梅花的词,《暗香》更为有名。上阕开始就写昔日皎洁的月色曾经多少次映照着我,旧时的月色和现在的月色一样,可是月色下的人却是不同的。那时,我对着梅花吹玉笛,声韵谐和。笛声唤起佳人,不顾冬日的清冷跟我一起折梅花。接下来,"何逊而今渐老"一句说的是,如今我像何逊那样已经渐渐老去,往日春风般绚烂的文笔,如今都已经消磨得差不多了。"而今"和第一句的"旧时"遥相呼应,是今昔对比。再往下,"但怪得"三字笔锋一转,但是令我惊讶的是,竹林外稀疏的梅花将清冷的幽香散入华丽的宴席。这一句写的是如今的梅花,这香气使我诗兴大发,不过也不是正面描写,而是从梅花的香气来侧面描写。

下阕借物写人，写梅花的同时开始写自己思念的佳人。一开始，“江国，正寂寂”，展开一幅远景。江南水乡，正是一片静寂。从上阕结尾处的瑶席，到这里的江国，先近景再远景，描写的角度是有变化的。接下来，词人写自己想折枝梅花寄托相思情意，可惜路途遥远，一夜积雪又遮没了大地。所以，这个想法不能实现。接下来的“翠尊易泣，红萼无言耿相忆”是常被人称道的两句。我手捧起翠玉酒杯，却禁不住洒下伤心的泪滴，面对着红梅默然无语，昔日折梅的美人便浮上心头。再下来，词人回忆起当年的美好时光，总记得曾经携手游赏，看着千株梅树，红梅朵朵绽放，压得枝头都低下来了，而不远处的西湖泛着寒波，一片澄碧。最后三句，词人又转回到现实中。“又片片、吹尽也，几时见得”，如今寒风吹来，梅花凋落，几时才能重见梅花的幽丽？暗含几时才能见到当年陪我折梅的清丽佳人之意。思念之情，溢于言表。

文史链接

因词得妻

姜夔的一生不是很顺利，他小时候父母就去世了，家里条件很不好，去参加科举考试，总是名落孙山。不过他诗词写得很好，所以有一帮朋友都很赏识他，愿意让他作为清客。

二十八岁那年，姜夔去拜访父亲生前的好友萧德藻。萧德藻家庭条件很好，同时也很爱才。姜白石住在萧家，经常和萧德藻诗文唱和，萧德藻很欣赏姜夔的才华，说：“学诗数十年，始得一友。”这“一友”就是姜白石。这一天，萧德藻对姜夔说：“尧章，你年纪也不小了。我这里有一位好姑娘，介绍给你吧。”尧章是姜夔的字，古人称呼的时候往往是称呼对方的字。这位姑娘就是萧德藻的侄女，很是端庄灵秀。姜夔于是就成为了萧家的女婿，住在湖州的别院，萧氏善解人意，对姜夔温柔体贴，是一位好妻子。

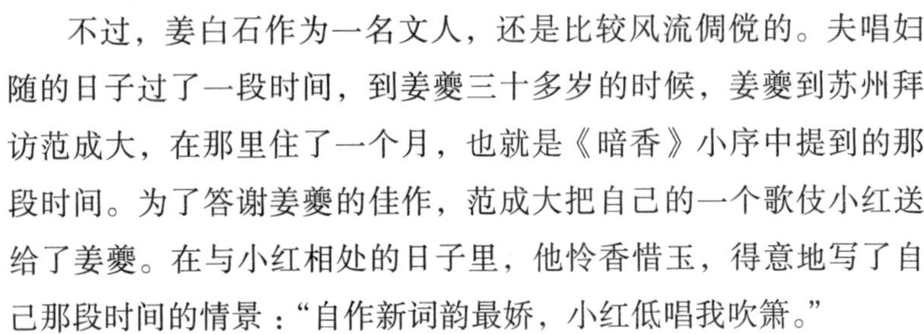

不过，姜白石作为一名文人，还是比较风流倜傥的。夫唱妇随的日子过了一段时间，到姜夔三十多岁的时候，姜夔到苏州拜访范成大，在那里住了一个月，也就是《暗香》小序中提到的那段时间。为了答谢姜夔的佳作，范成大把自己的一个歌伎小红送给了姜夔。在与小红相处的日子里，他怜香惜玉，得意地写了自己那段时间的情景：“自作新词韵最娇，小红低唱我吹箫。”

思考讨论

品读姜百石的另一首咏梅名篇《疏影》，比较它与《暗香》的不同之处：

苔枝缀玉，有翠禽小小，枝上同宿。客里相逢，篱角黄昏，无言自倚修竹。昭君不惯胡沙远，但暗忆江南江北。想佩环、月夜归来，化作此花幽独。　　犹记深宫旧事，那人正睡里，飞近蛾绿。莫似东风，不管盈盈，早与安排金屋。还教一片随波去，又却怨玉龙哀曲。等恁时、重觅幽香，已入小窗横幅。

双双燕

史达祖[1]

过春社[2]了，度帘幕中间，去年尘冷。

差池[3]欲住，试入旧巢相并。

还相[4]雕梁[5]藻井[6]，又软语[7]商量不定。

飘然快拂花梢，翠尾[8]分开红影[9]。

芳径，芹泥[10]雨润。爱贴地争飞，竞夸轻俊。

红楼[11]归晚，看足柳昏花暝。

应自栖香正稳，便忘了天涯芳信。

愁损翠黛双蛾[12]，日日画栏独凭。

注释

[1] 史达祖（1163—约1220）：字邦卿，号梅溪，汴京（今河南开封）人。南宋词人。有《梅溪词》。 [2] 春社：古时候农村在立春后、清明前祭神祈福，称为“春社”。 [3] 差池：形容燕子飞行时，有先有后，尾翼舒张的样子。 [4] 相（xiàng）：察看，判断，这里是指端看、仔细看的意思。 [5] 雕梁：雕有或绘有图案的屋梁。 [6] 藻井：用彩色图案装饰的天花板，形状似井栏，称为藻井。 [7] 软语：燕子的呢喃声。 [8] 翠尾：燕尾。 [9] 红影：花影。 [10] 芹泥：这里指燕子筑巢所用的草泥。 [11] 红楼：这里代指富贵人家。 [12] 翠黛双蛾：这里代指闺中少妇。

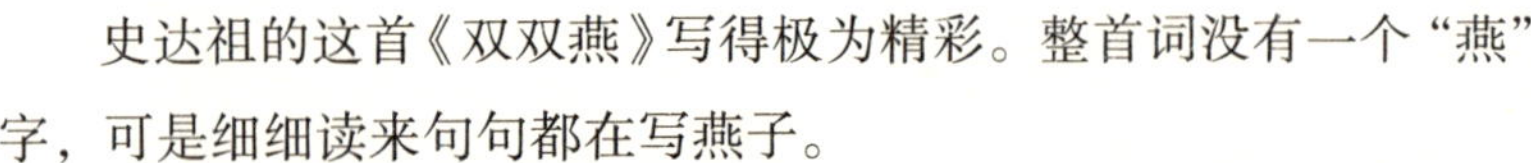

赏析

史达祖的这首《双双燕》写得极为精彩。整首词没有一个“燕”字，可是细细读来句句都在写燕子。

上阕“过春社了”，意思是说春社已经过了，正是春暖花开的季节，暗含着燕子回来了。“度帘幕中间，去年尘冷”，燕子穿飞在楼阁的帘幕中间，屋梁上落满了旧年的灰尘，清清冷冷。春光明媚，北归的燕子飞入去年住的房子的帘幕，看到红楼华屋、雕梁藻井仍然是去年的样子。只是，用了“尘冷”两字，表示空屋无人，都是灰尘，这不免使燕子也感到有些冷清。怎么会有这种变化呢？词人没有马上回答，而是转去描写燕子本身。“差池欲住，试入旧巢相并”，双燕的尾巴轻轻扇动，欲飞又止，试着要钻进旧巢双栖。一会儿，“还相雕梁藻井，又软语商量不定”，老巢看上去很旧不适合居住了，于是它们又飞去看房顶上的雕梁和藻井，要选地点筑新巢。两只燕子叽叽喳喳呢喃地商量着。词人把双燕描绘得就像一对充满柔情蜜意的小两口在商量新居，难怪古人对情侣的称呼除了“鸳侣”外，还有“燕侣”。燕子商量好了，接下来“飘然快拂花梢，翠尾分开红影”，两只燕子飘然轻快地掠过花梢，如剪的翠尾分开了花影。它们俩去做什么呢？

下阕给出了回答。春雨过后，小径间芳香弥漫，芹泥又柔又软。燕子衔泥筑新巢，这里真是安居乐业的好地方啊。燕子们喜欢贴地争飞，你追我赶，好像比赛着谁飞得更轻盈漂亮。燕子陶醉了，到处飞游观光，看着花红柳绿，一直玩到天黑才飞回到红楼。一直到这里，词人都在直接描写燕子。下面一句就开始出现人物，然而也不是直接出现，而是用了“应自栖香正稳，便忘了天涯芳信”，这个“应”在这里是想必的意思，想必玩了一天的双燕，回到新巢中，相依相偎睡得香甜了吧？它们是不是忘了把天涯游子的芳

信传递给佳人了啊？这最后飞来一笔，出人意料，这一转折就出现了红楼思妇倚栏眺望的画面：“愁损翠黛双蛾，日日画栏独凭。”它们忘了传递信息，使得佳人终日愁眉不展，天天独自凭着栏杆，盼望着远方的人儿能给自己寄信来。

结尾这两句，呼应了一开始“尘冷”的疑问。对燕子来说，它们在旧巢前徘徊，是有感于“去年尘冷”的新变化，但实际上这是暗示人去楼空，冷冷清清，佳人的爱侣不在这里了，或者是去天涯远游了，所以才有后面佳人的失望。可是，燕子真的有传递信息的任务吗？当然没有，词人这样一写，把佳人的殷殷期盼写得很活泼很生动，如在目前。可见这首词不是单纯地咏燕，它有深层的涵义，所以才成为佳作。

文史链接

史达祖的无奈

史达祖恐怕还不够格称为著名词人，但是说起南宋词，还是不能绕过他，比如这首《双双燕》就博得了很多人的称赞。史达祖生活的时代，正是南宋政权难得愿意北伐的时代，当时支持北伐的权相叫做韩侂(tuō)胄，史达祖是他的门下亲信，替他起草所有的文件，身份相当于现在的首席机要秘书。南宋和金正式宣战后，各路军队节节败退，韩侂胄没办法，只好派人向金请和。朝廷里本来主和的人就多，于是韩侂胄倒台了。

“树倒猢狲散”，史达祖也跟着遭了难，他遭受了黥刑（面额刺字并涂以墨），被流放到江汉之地。史达祖在任“首席秘书”期间，韩侂胄对他极为赏识倚重，可是史达祖对自己的幕僚身份并不满意，因为他不是走科举道路的正途出身，内心深处总有一种排遣不去的自卑感。他曾经写过“怜牛后，怀鸡肋”一句，说出了他心中隐藏的不甘。有句俗语叫“宁为鸡口，不为牛后”，意思是宁愿做小而干净的鸡嘴，而不愿做大而臭的牛肛门，比喻宁可在小的地方自主，也不愿在大的地方听人支配。史达祖这句话暗含的意思是，如果通过科举入仕，可能到老也不过是一个小小的地方官，也许无论如何也爬不到权势的中心，而如今的身份是一人之下、万人之上的韩丞相的亲信，想必风头也会盖过很多朝中大臣。可是这种生活表面风光，其实却要听命于人、奉命行事，哪里谈得上什么独立的人格呢！

思考讨论

你觉得这首词深层的含义是什么？看似写燕子，实则要表达的是什么呢？

风入松

吴文英[1]

听风听雨过清明，愁草[2]瘗花铭[3]。
楼前绿暗[4]分携[5]路，一丝柳、一寸柔情。
料峭春寒中酒[6]，交加[7]晓梦啼莺。

西园日日扫林亭，依旧赏新晴。

黄蜂频扑秋千索，有当时、纤手香凝。
惆怅双鸳[8]不到，幽阶一夜苔生。

注释

[1]吴文英（约1200—1260）:字君特，号梦窗，晚年又号觉翁。四明(今浙江宁波)人。南宋著名词人。有《梦窗词》。 [2]愁草:没有心情写。草，起草，拟写。 [3]瘗（yì）:埋葬。铭：文体的一种。庾信有《瘗花铭》。古代常把铭文刻在墓碑或者器物上，内容多歌功颂德、表示哀悼、申述鉴戒。 [4]绿暗:形容绿柳成荫。[5]分携:分手，分别。 [6]中酒:醉酒。 [7]交加:形容杂乱。[8]双鸳：指女子的绣花鞋，这里指女子本人。

赏析

一首佳作往往是情景交融，这首词的上阕前二句是伤春，三至五句写伤别，六、七两句则是伤春与伤别的交融。“听风听雨过清明”，看似简简单单的起句，却把“清明时节雨纷纷”的季节特点写得很到位。风雨不写“见”而用“听”，一则是词人当时的情形实写，阴雨连绵的天气往往不会出门，所以是隔着窗子听雨声；二则联系下一句“愁草瘗花铭”，可见词人本来就是怜花惜玉的人，他想着清明时节风雨交加，落红无数，更加不忍心去“见”，而是用“听”了。“愁草瘗花铭”一句，就把这种感情写得比较明白。词人看见落花，不忍心让它们被风吹雨淋，于是去葬花，葬花后还觉得不够，心想应该为它草拟一个瘗花铭，以前庾信就写过《瘗花铭》。词人伤春悲花的感情就在这五个字中集中表现了。这两句是写现在的景，接下去就开始写人了。“楼前绿暗分携路，一丝柳、一寸柔情”，写出了当时与情人分别时的情景。折柳惜别是古代的

风俗，所以被写到诗词中的次数也很多。“一丝柳、一寸柔情”，把纤柔的柳丝和情丝联系起来，可以说是语浅意深。“料峭春寒中酒，交加晓梦啼莺”，这接下来的两句是写现在，酒喝多了，喝醉了。为什么？借酒浇愁啊！这愁就是因思念而不得见才来的。“晓梦”一词写出了与情人相会的场景是在梦中，至于折柳送别是回忆还是又一次梦见，这都不重要了。重要的是，梦被“啼莺”叫醒了，这里其实是化用了一首唐朝的诗：“打起黄莺儿，莫教枝上啼。啼时惊妾梦，不得到辽西。”

下阕开始就点明了地点——西园。西园在吴地，是梦窗和情人的住所，二人也是在那里分手，所以词人对西园的回忆有悲有喜。吴文英的词中常常提到西园，因为对他而言，西园见证了他的感情之路，令他魂牵梦萦。如果一个地方曾经令人很伤心，人往往就避免再去，以免触景生悲。可是词人不同，他说“依旧赏新晴”。原来清明已过，风雨消歇，西园的亭林也没有荒废，还是打扫得很整洁。“日日扫林亭”，其实内心还是盼望着她能来。词人照样去游赏林亭，看到“黄蜂频扑秋千索”的场景，这一句是吴文英的名句，妙就妙在不是正面描写，而是侧面烘托。林荫下，秋千架，仿佛还在等着那个荡秋千的姑娘。黄蜂们怎么会绕着秋千索在嗡嗡飞舞呢？哦，“有当时、纤手相凝”。是那位佳人当年用手握过秋千索，所以留下了香泽。这是真的吗？离别日久，秋千索上的香气未必能留，但黄蜂依然频扑，这当然不是在实写，这是词人的想象。但这样的想象并不会让人觉得天马行空，反而体现出了他的一片痴情，佳人美好的形象同时跃然纸上。“双鸳”是指绣有鸳鸯的鞋子，这里就是代指那位佳人。“幽阶一夜苔生”用了夸张的手法，仿佛一夜之间，台阶上就生出了青苔。如果当时佳人与自己常常过来，怎么可能长出青苔？青苔是过了很久才长出来的，然而在词人的眼里，却是一夜工夫就长出来了。那是因为词人念念不忘两人的美好感情，想起来仿佛还是昨天，所以用了这样的夸张手法，痴情的形象更为鲜明。

文史链接

西园美人

吴文英是南宋时期的著名词人。他号梦窗，常常被人称为吴梦窗。吴梦窗一生很失意，参加科举没有取得功名，后来去苏州做了幕僚，待在那里十多年。

三十多岁时，吴梦窗在苏州碰到了一位美人。也许那位美人是他无意间认识的歌妓，后来成了他的妾。爱情来临的时候，总是不顾一切。两人在苏州阊门外的西园安了一个家，感情很好。西园虽小，但胜在精致。两人有时漫步在小径上，聊聊天。这位美人最喜欢的就是西园的那架秋千，每次走到那里，总会让梦窗来推推她。秋千一荡，就荡起了美人的银铃串串。

吴文英爱填词，填好了以后他的爱妾就成了第一个读者，并且总是会将他的新作唱一遍。遇到不是那么协律的地方，梦窗就让她暂停一下，改一改，再接着唱。

就这样过了一段恩爱的日子，吴文英辞去了幕僚职务，带着西园美人到了杭州。那时他的爱妾已经给他生了个孩子。可是，不知道是什么原因，在杭州仅仅待了一年，到第二年春，西园美人就回了苏州，吴文英很伤心，也曾几次追踪到苏州去寻找，但每次都无功而返。或许西园美人自己不愿再见词人了吧。就这样，吴文英一边在杭州抚养着他们的孩子，一边期待着她能回来。然而终究是失望了，所以，他的词作中充满了对西园美人的昔日追忆。

思考讨论

你觉得《风入松》这首词中哪一句最好？为什么？

花犯·水仙[1]

周　密[2]

楚江湄[3]，湘娥再见，无言洒清泪。淡然春意。
空独倚东风，芳思谁寄？
凌波路冷秋无际。香云[4]随步起。
漫[5]记得、汉宫仙掌[6]，亭亭明月底。

冰丝[7]写怨更多情，骚人[8]恨，枉赋芳兰幽芷。
春思远，谁叹赏、国香[9]风味？
相将共、岁寒伴侣。小窗净、沉烟熏翠袂。
幽梦觉、涓涓清露，一枝灯影里。

注释

[1]“犯”：意为“犯调”，是将不同的音调声律合成一曲，使音乐更为丰富。“花犯”为周邦彦自度曲。　　[2]周密（1232—1298）：字公谨，号草窗，又号四水潜夫。南宋词人、文学家。有《草

窗词》。 [3]湄：水边。 [4]香云：这里形容香气浓郁。
[5]漫:徒然,枉然。 [6]仙掌:即金铜仙人承露盘,汉武帝所建。
[7]冰丝:这里指乐器。 [8]骚人:这里是指屈原。 [9]国香:原指兰花，此处指水仙。

赏析

这是一首咏物词，所咏的对象是水仙。清朝有个词人叫周济，他编过一本书叫《宋四家词选》，书中对周密的这首词很赞赏，说它写物写得很空灵，在咏物的背后还寄托了自己的思想感情。

上阕一开始，写的是“楚江湄，湘娥再见，无言洒清泪”，塑造了一个伫立江畔、默默垂泪的美人形象。湘娥，传说中是舜的妃子，死后成为湘水之神。周密一开始就用了拟人的手法，直接写湘妃的形象，这和水仙花在水里生长的习性很贴切。“淡然春意”，点出季节——水仙通常在早春开放。这春意虽淡，却足以牵动人的缕缕哀思。接下来“空独倚东风，芳思谁寄”两句，结合一开始的拟人，将愁思放到水仙的身上，表示无人怜爱，所以失意、怅惘、无望的种种情绪都产生了。接着写“凌波路冷秋无际”，由春而入秋，这其实是按心理感受自然过渡而来，秋不是写真实秋天，而是虚写。凌波,原本是形容女子轻盈的步履,曹植的《洛神赋》中有“凌波微步，罗袜生尘”。后来，人们把水仙也称为“凌波仙子”。“凌波”一句是倒写，回忆起当时秋天一路走来的情形，“香云随步起”，明写美人，实际写水仙之香。是美人？是水仙？因为不确定，所以让这首词平添空灵之意。歇拍三句“漫记得、汉宫仙掌，亭亭明月底”，其实是有所怀念。“漫”与上文“空”字照应，都是徒然、枉然的意思。明月下，曾经的宫廷，那是美人怀念的地方吧。可怀念有什么用呢？

上阕用拟人的手法来写水仙花，下阕则写人怜惜花。“冰丝写怨

更多情，骚人恨，枉赋芳兰幽芷。”屈原《离骚》曾经写了芳芷幽兰，可是偏偏没有写到水仙花。词人在这里故意说，现在水仙也被赋了新词，将它的愁怨写得很多情，恐怕屈原也遗憾，白白写了那么多香花（却漏了水仙）。其实水仙本来不是楚国的花，屈原没写很正常。词人这么写，不过是为了突出水仙。“春思远，谁叹赏、国香风味？”如此幽香的水仙，却不为世人欣赏，难免会有愁怨了。接下来，笔锋一转，出现了词人自己的形象。“相将共、岁寒伴侣”，说的是花与人成为伴侣，互相陪伴。水仙本是冒着天寒开放，所以“岁寒”二字很贴切。但水仙又是案头植物，所以“小窗净、沉烟熏翠袂”二句将镜头转向室内，写词人所居的地方。古代燃沉香熏衣是贵族的习尚，可见词人的生活还是比较好的。最后三句，“幽梦觉、涓涓清露，一枝灯影里”，淡淡的语气，写的是水仙在灯下的全貌，而“幽梦觉”三字恰恰把前文的拟人和现实的水仙巧妙糅合。难怪这首词被人们称赞，因为它写的是水仙，可是又不是完全在描写水仙的形状等外在特点，而是抓住香气这个最大特点，生发开去。

文史链接

杨琏真伽盗帝骨

这其实是个悲伤的故事，是南宋历史上耻辱的伤疤。

故事要从南宋灭亡说起，当时已经是元朝统治的时代。元朝完全是以奴隶的眼光来看待南宋的百姓的，对于南宋的皇家，他们关心的是从那些宫殿里能搜出多少金银珠宝。宫殿抢光了，他们把贪婪的目光转向了地宫——皇帝的坟墓。

元朝有个恶僧是我们要记住的，因为他应该被钉在历史的耻辱柱上。他的名字叫做杨琏真伽。这个僧人和另一个叫做允泽的僧人在当时元世祖和当朝宰相的支持下，把南宋皇族的陵墓都挖了个遍。那天，杨琏真伽和允泽带着一帮人恶狠狠地冲到陵前。那时候，虽然南宋灭亡了，但是依然有忠于皇族的陵使在守墓。陵使竭力抗争，不让他们开陵。允泽"刷"一下拔出雪亮的刀子，指着陵使的胸口，陵使无奈大哭而去。

就这样，这帮盗贼得逞了。挖开宋理宗的墓时，只见理宗静静地躺着，虽然已经死去了很久，但因为防腐的措施做得好，像是睡着了一样。棺中的宝物被抢劫一空后，杨琏真迦的手下想了想，汉人死的时候不是还要在口里含着玉蝉吗？估计这皇帝嘴巴里、肚子里都放着宝贝呢！于是他们把理宗的尸体拖了出来，倒挂在树上，撬走他口内含的夜明珠，沥取他腹内的水银。中国历史上的黑暗时刻往往伴随着鞭尸这样变态的丑闻，而这次，对象是皇族——不是说皇族就比普通百姓金贵，而是在封建时代里，皇家往往是一个国家最尊贵的象征。如今，南宋死去的皇族遭到了如此令人发指的对待，那是对整个宋朝人的蔑视和蹂躏。

那时候的文人比如周密、王沂孙等人，虽知道这件事情，却只能在词里面委婉地抒发自己内心的不平。他们在一起写了很多咏物词，结成一个集子叫做《乐府补题》，这其实都是在悲叹帝陵被盗、国破家亡的痛楚。

思考讨论

词人是如何来描写水仙的高洁的？人与花之间有怎样的寓意？

齐天乐·蝉

王沂孙[1]

一襟余恨宫魂断[2]，年年翠阴庭树。
乍咽凉柯[3]，还移暗叶，重把离愁深诉。
西窗过雨，怪瑶佩[4]流空，玉筝调柱。
镜暗妆残，为谁娇鬓尚如许[5]？

铜仙铅泪似洗，叹携盘去远，难贮零露。
病翼惊秋，枯形[6]阅世，消得[7]斜阳几度？
余音更苦，甚独抱清高，顿成凄楚。
谩想[8]熏风，柳丝千万缕。

注释

[1] 王沂孙(1240—1290):字圣与，号碧山、中仙、玉笥山人。会稽（今浙江绍兴）人。南宋词人。有《碧山乐府》。 [2] 一襟余恨宫魂断:形容蝉是饮恨而亡的宫女怨魂所化。 [3] 凉柯:秋天的树枝。 [4] 瑶佩:以玉声喻蝉鸣声美妙,下文“玉筝”同。[5] 镜暗妆残，为谁娇鬓尚如许:不修饰装扮，为何还那么娇美呢?据说魏文帝宫女莫琼树曾经制蝉鬓，缥缈如蝉。 [6] 枯形：指蝉蜕。 [7] 消得：经受得住。 [8] 谩想：不要想。

赏析

这首词也是南宋著名的咏物词，所咏的对象是蝉。

词的上阕一开始就是“一襟余恨宫魂断”。“宫魂”二字直接点明所写的是宫廷女子。据说，很久以前齐国王后受了委屈愤愤而死，尸变为蝉，每天在庭院树上鸣叫，王很悔恨。后来蝉就多了一个外号，叫做齐女。词人由蝉的形象联想到宫女的形象，将宫妇含恨而死、尸体化为蝉长年攀树悲鸣的传说写入词中，营造悲剧气氛。“年年翠阴庭树”，齐女化蝉之后，年年只身栖息于庭树翠阴之间，在孤寂凄清的环境中活着。“乍咽凉柯，还移暗叶，重把离愁深诉”，这是描写蝉在树间的鸣叫声。它忽而哽咽，忽而哀泣，声声凄惋，仿佛是齐女的魂魄在诉怨。“西窗过雨”，写秋雨来，天寒了，蝉的生命即将结束，它的叫声也更加哀伤。然而，“瑶佩流空，玉筝调柱”，雨后的蝉声却异常婉转动听，这里用了两个比喻，好像击打玉佩流过夜空，又好像玉筝弹奏声在窗外响起。这样的声音，这样的比喻，让人仿佛看到了一位在调筝的佳人。“镜暗妆残，为谁娇鬓尚如许”，这里其实是在写蝉的羽翼，但用的是比喻的手法。直接呈现在词中的是一位幽怨女子。女子长期无心修饰容颜，妆镜蒙尘。既然如此，此时何以如此着意打扮？

上阕咏蝉，下阕写蝉的生活习性。“铜仙铅泪似洗，叹携盘去远，难贮零露。”据说，汉武帝曾铸手捧承露盘的金铜仙人于建章宫。后来魏明帝时，诏令拆迁至洛阳，宫人把承露盘拆下来时，发现仙人潸然泪下。而餐风饮露为生的蝉，当露盘已去，何以为生？“病翼惊秋，枯形阅世，消得斜阳几度？”秋天已经到了，蝉翼微薄，哪堪阵阵秋寒，即将变成骸骨的身体怎能忍受这人世沧桑？“余音更苦”，蝉在死前仍然苦苦哀鸣，这声音真是令人觉得凄苦。“甚独抱清高，顿成凄楚”，“清高”是指蝉本来习惯宿高枝，餐风饮露，仿佛以清高自许的贤人君子。没想到，那时清高的君子，如今结局竟如此辛酸。“谩想熏风，柳丝千万缕”，词人在现实的苦中忍不住加入一点光明和希望，夏风吹暖，柳丝摇曳，那正是蝉的黄金时代。可前面的“谩想”两字，将这希望又灭了。真是痛苦倍添啊。

据说，这首词收于《乐府补题》。词中的齐后化蝉、魏女蝉鬓，都是与王室后妃有关，词中运用金铜承露的典故，隐射宋亡及帝陵被盗事。

文史链接

唐珏收帝骨

杨琏真迦盗帝骨后，当时有个绍兴的读书人叫做唐珏，他自小读书，一心打算为国家做一番事业。没想到，元朝的入侵断了他的梦想。因为在元朝，“南人”（一般指淮河以南的原南宋境内的人民）是最低等的，走仕途是不可能的。唐珏听说了杨琏真迦的恶行后，悲痛不已。于是，他把自己的家产变卖了，准备了一桌酒菜，邀请了一批乡里的青壮年。酒正喝到一半的时候，唐珏突然说：“我请大家喝酒，是希望大家帮我一个忙。恶僧杨琏真迦的事情大家也都听说了，我准备去收埋先帝的尸骨，你们看怎么样？”一个毛头小伙子站起来问道：“山上还有很多狗腿子在那里巡视，虎视眈眈，万一我们收埋的事情暴露，那可怎么办？”唐珏说：“这事别担心，我早就计划好了。如今兵荒马乱，荒郊野岭中很多白骨都没有埋葬，我们以假乱真不就行了吗？”大家纷纷觉得是个好主意。

于是，在一个月黑风高的晚上，唐珏拿出几只准备好的木盒子，上面包裹着黄色的丝绢，写上帝名和陵名，比如“宋理宗，永穆陵”。

一伙人分头潜入陵山，将各个帝王的遗骸分别收藏起来，埋在天章寺前，并在上面种上冬青树，作为标志。一早，唐珏把自己变卖家产的钱拿出一部分，酬谢了收埋帝王骸骨的众人。过了七天，杨琏真伽又一次来到陵山，这一次他做了更为变态的事情。他把“宋理宗”的头骨砍了下来，制作成用来喝水的器具，呈送到了元大都的皇宫里。接着他又下令把那些散落在外的南宋皇帝的骨骸收起来，他可不是好心，而是在临安（今杭州）的南宋皇宫里修了一座白塔，把这些尸骨压在下面，起名“镇本塔”，表示要镇压江南。殊不知，那些尸骨其实很多都是牛马的枯骨，而真正的帝骨，已经被壮士唐珏埋在冬青树下了。

唐珏，这个很普通的江南士人，在历史需要他的时候，勇敢地站了出来，也为那个黑暗的时代染上了一抹亮色。王沂孙与唐珏、周密等人结社填词，赋《乐府补题》词，借着咏莲、咏蝉等等，寄托了自己深切的亡国之恸。而千百年后的我们从那些婉约词的背后，也知道了唐珏的义举。

思考讨论

请说一说这首词所用的“齐王后怨死变蝉”的典故，体会本篇作品所表达的家国之恨。

一剪梅·舟过吴江

蒋　捷[1]

一片春愁待酒浇。江上舟摇，楼上帘招。
秋娘渡[2]与泰娘桥[3]，风又飘飘，雨又萧萧。

何日归家洗客袍？银字笙[4]调，心字香[5]烧。
流光[6]容易把人抛，红了樱桃，绿了芭蕉。

注释

[1]蒋捷（生卒年不详）：字胜欲，号竹山。宋末元初阳羡（今江苏宜兴）人。南宋词人。有《竹山词》。　[2]秋娘渡：渡口名。秋娘，唐代著名歌女。　[3]泰娘桥：桥名。泰娘，唐代著名歌女。　[4]银字笙：有银字的笙。　[5]心字香：心字形的香。　[6]流光：流逝的时光。

赏析

蒋捷是南宋末期的著名词人，他的这首《一剪梅》流传很广，不仅因为它琅琅上口，更是因为它很贴近游子思乡的心。

词的开头，“一片春愁待酒浇”，点明时间是春天。“一片”表明愁很多，连绵不绝。“待酒浇”，化用“借酒浇愁”之意。这是单纯的伤春之情吗？作者并没有立刻接着写下去，而是用白描手法描绘了“舟过吴江”的情景：“江上舟摇，楼上帘招。秋娘渡与泰娘桥，风又飘飘，雨又萧萧。”这里的“江”就是吴江。一个“摇”字，写出词人在船上的感受,同时也写出了词人的漂泊之感。一个“招”字，原本是酒帘子挑出来招揽顾客的意思，照应了开头“待酒浇”三个字。题目中的“过”字，表明他的船已经驶过了秋娘渡和泰娘桥，词人急切地盼望着回家团聚。可是，天公不作美，“飘飘”、“萧萧”描绘了风大雨急的情景。这里的“又”字，既写出了他此刻对风雨阻归的恼意，同时又透露出他此前必然早就遭遇过这样的天气。

下阕用“何日归家洗客袍”的疑问句,这里的心情更为急切了，接下来的“银字笙调，心字香烧”则是在想象回家后的温暖生活。其实，回家以后第一件事情就是“洗客袍”，一路上风尘仆仆，旅途所穿的衣服当然要换洗了，然后就可以坐下来调笙，这笙是有银字的精致的乐器,而在旁边点上的香是心字形的精致的香。当然，最重要的是，边上有为自己点香调笙的佳人。最后三句，是最为人称赏的。“流光容易把人抛”，写时光流逝之快。这句虽是白描，然而却直指人心，把时间飞逝的感觉写得很到位。至于最后两句，红绿变换，色彩上很明快，是“流光容易把人抛”的具体表现。春末夏初，樱桃成熟，颜色变红，芭蕉叶子由浅绿变为深绿，就这样，词人把看不见的时光转化为可以捉摸的形象。

文史链接

有花堪折直须折

——从“秋娘”到“秋妃”

“秋娘”是古人常给歌姬起的名字，因为这个名字中暗含着几位少女聪慧的身影。唐朝时有杜秋娘、谢秋娘。谢秋娘是宰相李德裕当年镇守浙江时的爱姬，她死后李德裕念念不忘，为她写了一首曲子《谢秋娘》，后来人们把这曲子换了新的内容，其中白居易写的“江南好”最有名，结果曲子的名字改成了《望江南》。

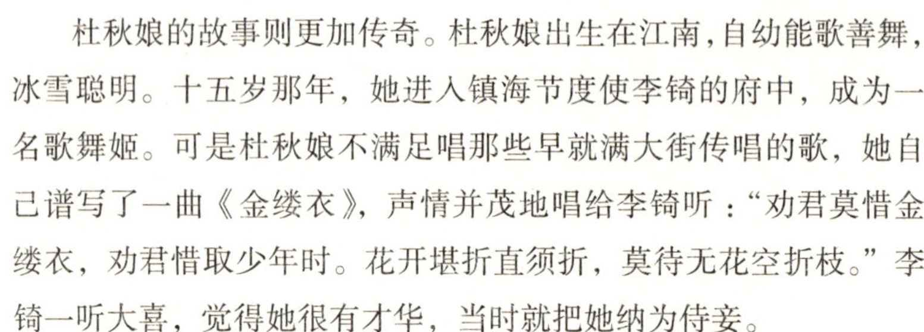

杜秋娘的故事则更加传奇。杜秋娘出生在江南，自幼能歌善舞，冰雪聪明。十五岁那年，她进入镇海节度使李锜的府中，成为一名歌舞姬。可是杜秋娘不满足唱那些早就满大街传唱的歌，她自己谱写了一曲《金缕衣》，声情并茂地唱给李锜听：“劝君莫惜金缕衣，劝君惜取少年时。花开堪折直须折，莫待无花空折枝。”李锜一听大喜，觉得她很有才华，当时就把她纳为侍妾。

唐朝到了中后期的时候，节度使的权力很大，当时的皇帝唐宪宗试图削减节度使的权力，那自然要遭到节度使的反对。李锜一怒之下就举兵反叛，在战乱中被杀，杜秋娘入宫为奴，仍旧当歌舞姬。深宫中的日子是多么漫长！对于青春美貌的杜秋娘来说，她一直努力为自己找一条向上的路。事实证明，功夫不负有心人。杜秋娘抓住一次唐宪宗观赏歌舞表演的机会，将自己的《金缕衣》唱给唐宪宗听。唐宪宗也觉得这个歌姬不简单，将她宣到了自己身边一看，好一个美貌佳人！于是，唐宪宗就留心了杜秋娘。后来，杜秋娘就成了秋妃。秋妃原本就是个聪明人，她以女人的柔情和宽容弥补了宪宗年轻气盛、性情浮躁的缺点，有时唐宪宗甚至把自己在朝廷上的烦恼说给她听，有时她就岔开去，说些轻松的话题，有时她也会结合自己的分析，给出一些建议。

“流光容易把人抛”，一转眼十几年就过去了。皇宫总是充满了黑暗，就是帝王也不能保证自己的安全。宦官的权势越来越大，有一天宦官谋害唐宪宗，可怜一代帝王就这样不明不白地死了。他一死，宦官更加权势滔天。短短几年间，皇帝像走马灯似的换了好几个，并且都是暴死。杜秋娘为了自保，就联合了当时的宰相，打算立她带大的皇子为帝。不料，世间没有不透风的墙，宦官知道了他们的想法，于是先下手为强，杜秋娘从秋妃被贬为庶民，结束了她的“折花岁月”。

思考讨论

词人是怎样表达游子思乡之情的？

高阳台

张　炎[1]

接叶巢莺[2]，平波卷絮，断桥[3]斜日归船。
能几番游？看花又是明年。
东风且伴蔷薇住，到蔷薇、春已堪怜。
更凄然，万绿西泠[4]，一抹荒烟。

当年燕子知何处，但苔深韦曲[5]，草暗斜川[6]。
见说新愁，如今也到鸥边[7]。
无心再续笙歌梦，掩重门、浅醉闲眠。
莫开帘，怕见飞花，怕听啼鹃。

注释

[1] 张炎（1248—1320）：字叔夏，号玉田，晚年号乐笑翁。

南宋词人。著有《山中白云词》。 [2]接叶巢莺：化用了杜甫的诗句“接叶暗巢莺”。 [3]断桥：西湖孤山侧桥名。 [4]西泠:西湖桥名。 [5]韦曲:在长安城南,唐代诸韦世居此地,因名韦曲。 [6]斜川：在江西庐山侧星子、都昌二县间。 [7]见说新愁，如今也到鸥边:沙鸥为白色，人们说是因愁深而白，就如人因愁而白头。

赏析

这首长调是张炎在南宋灭亡后重游西湖时所作。很多词的内容都是“伤春悲秋”，可是像张炎这样把“伤春悲秋”写得如此深入人心不是一件容易的事。而且，张炎的这首词不同于一般的“伤春”，词中抒发的是国家灭亡的深重痛楚。

词的上阕，一开始用语还比较平和，所写春光也比较明媚。黄莺巢居在密叶之间，柳絮轻轻飘落在湖面，这样的春景往往是暮春时节了。夕阳西下，光线渐渐暗淡，断桥处有归家的船。春天即将过去了，所以词人接下来就说“能几番游？看花又是明年”。良辰美景历历在目，心中却想着暮春时分，即便花现在开得繁茂，但离凋谢的日子不远了，要想赏花，只能静待明年。“东风且伴蔷薇住，到蔷薇、春已堪怜”，这一句用了拟人的手法，写得很生动。蔷薇花开，本来是很热闹的，可是词人的笔下，却写“春已堪怜”，因为蔷薇花开的时节是春末夏初，春天即将结束了。这一句是对“能几番游”的具体展开，因为写得细腻，所以后人常常称赞。上阕的后三句在情感上更进一步。“更凄然，万绿西泠，一抹荒烟”，尽管春天尚未离开，可是西泠桥畔，我的眼中是一片触目惊心的荒芜。这是为什么？是因为国破家亡了。原本繁华的西泠桥边，如今却是“一抹荒烟”，今昔对比强烈，暗含着词人的亡国之痛。

下阕进一步写这种今昔对比，一开始就用“当年燕子知何处”的问句，明显地写出自己的故国之思。接下来词中出现两个地名：一个是“韦曲”，唐时韦氏世居地，在长安城南；还有一个是“斜川”，位于江西星子、都昌间，陶渊明曾作《游斜川》诗。这两个地名都不是实指，而是代指昔日的雅集之地。“苔深”、“草暗”则是形容荒芜冷落的样子，当年的繁华聚会之地如今只剩得青苔野草。“见说新愁，如今也到鸥边”化用辛弃疾的词：“拍手笑沙鸥，一身都是愁。”“无心再续笙歌梦，掩重门、浅醉闲眠”，我再也没有心情去重温纵情欢乐的旧梦，只能将自己的大门层层紧掩，喝点闷酒独自浅眠。这一句中可以得到的信息是，词人曾经过的是锦衣玉食的生活，如今成为一个隐士，只是心情很低落了。最后三句，“莫开帘，怕见飞花，怕听啼鹃”，回到景色上，和开头对应，但与开头用词的平和不同，这里营造了花飘飞絮、杜鹃啼血的悲凉氛围，情感上也到达了凄切哀苦的地步。情感步步深入，果然是“亡国之音哀以思”。

文史链接

张炎父亲改词的故事

南宋末期的词坛上有好几位贵公子，比如王沂孙、周密等等。张炎当然也是一个，不过他生得晚，比周密他们要晚一辈。张炎的六世祖是南宋大将张俊，所以他从小过着锦衣玉食的生活，而且从他的曾祖父开始，他们家就对填词作曲有着浓厚的兴趣。南宋的贵族是崇尚“雅”的群体，他们的文化高度和生活品位，即便是现在的我们也是难以望其项背的。

生活在这样的书香之家，张炎写词的水平当然不在话下，而

且他还写了一本《词源》。在这本书里，他把自己认为怎么样才算好词写得很清楚，后来人们去学填词的时候从这本书里得到了很多帮助。

在这本书里，他讲了一个小故事。他的父亲张枢也非常喜欢填词，对音乐也很有研究。每次填好了词，他父亲就会让家里的歌女唱一遍，要是听着有一点不顺耳的，就立刻想办法把那个字换掉。有一天，张枢新作了一首词，觉得很得意，立马叫来自己家的歌姬，叫她把这首词唱一遍。歌姬就开始轻吟缓唱起来。“哎，停停！”张枢抬手示意歌姬，“这个地方再唱一遍，琐窗深，对，就是那里。”歌姬又清唱了一句。“嗯，这个字你改一下，把深改成幽吧。锁窗幽，试一下。”张枢皱着眉头又听了一遍改过的词。“还是不够好，你要不试一下改成明字吧……嗯，这次不错，可以唱得比较响亮。好！就用这个字！”就这样，这句“锁窗深”最后换成了“锁窗明”。可是写“锁窗”之“深”，之“幽”还属于意思比较接近的，一改为“明”，就和深幽的意境相反了。

张炎本来是举例表示词要和音乐相配合，不过他父亲为了协律把词原本要表达的意思都改掉了，犯了过头的毛病，以至于后来人们说起这事，就常常当成了笑话来讲。

不过，话说回来，张炎是宋词历史上最后一位重要词人，他填词主张要尊重音乐的想法在后代也被人们所认同。在宋词这卷华丽柔美的长卷中，张炎是最后浓墨重彩的一笔。

思考讨论

这首词中，词人是如何来表达自己的故园之思的？

后 记

有一次，偶然看到某市小学一年级的语文课本中有贺知章的《回乡偶书》一诗："少小离家老大回，乡音无改鬓毛衰。儿童相见不相识，笑问客从何处来。""衰"字加了注音 shuāi。

衰，在此处应该读 cuī，在古义中有"等级次第的差别或依次递减"的意思，如《左传·桓公二年》："故天子建国，诸侯立家，卿置侧室，大夫有贰宗，士有隶子弟，庶人工商各有分亲，皆有等衰。"引申为减少、稀疏。结合贺知章的《回乡偶书》，这里"衰"的意思当指鬓毛减少、疏落，而不是衰老的意思。再从整首绝句的韵脚来看，"衰"字与首句"少小离家老大回"中的"回"和末句"笑问客从何处来"中的"来"，这三字在"诗韵"即"平水韵"中同属灰韵。

这些属于古代文化常识性的内容，过去龆龀蒙童均能脱口成韵，如今在专业教育出版社的小学语文教材中出现这样的差错，管窥一斑，不由得让人担忧。

读错一个字音尚是小事，倘若几代人不读"四书"、"五经"、唐诗、宋词……那中华民族真的就没有了灵魂。民族没有了精神内核，没有了灵魂，如何奢谈中华民族的伟大复兴？

我们承认现代教育将中国教育的视野引向更为广阔的国际空间，带来了许多新理念，给中国教育带来了活力。但是，如何在引入国际现代教育理念和现代教育方式的同时，坚守中国具有传承价值的优秀传统文化？如何在全面实施素质教育的同时，弘扬中国文化特色以保持中国文化特有的气质？这是当前中国教育值得深入研究的问题之一。

梁启超先生曾言："吾不患外国学术思想之不输入，吾惟患本国学术之不发明。"然而，本国学术思想之发明非一代人可以成就，须"由其民族自身传递数世、数十世血液浇灌、精肉所培壅，而始得开此民族文化之花，结此民族文化之果"。要国民热爱中国的传统文化，必须本国先民的成就有其可爱之处，而且要发扬国民精神，也当从固有的精神中有所抉发。

秋霞圃书院自2010年开始筹划编撰一套适合大众普及尤其是中小学生使用的"国学基本教材"，自小学至高中每学期能有一册在手，通过以长期渐进、系统地熏陶、滋养，使中小学生在潜移默化中亲近中国的历史与文化，并使中华传统文化在当下的社会生活中"活化"。当然这种"活化"不是简单的复古，而是在当代的语境中重新梳理中华文明的脉络，从中汲取适应时代需要、社会需要，乃至适应工业文明与后工业文明需要的养料，提炼出中华传统文化的核心价值，以此来滋养一代又一代学子，为中华民族的伟大复兴、践行"中国梦"奠定基础。当然，这些愿景断非一己之力能及，而是需要几代人的不懈努力，我们所起的作用仅仅是抛砖而已。国内儒学研究领军学者之一、武汉大学国学院院长郭齐勇教授听闻我们有此愿望后鼎力支持，欣然担任本套教材的总顾问，协调资源，并为之作序；武汉大学国学院院长助理孙劲松先生、向珂博士在筹组编者队伍时提供了真诚无私的帮助。此后又蒙秋霞圃书院院长、历史学家沈渭滨，语言学家李佐丰，古典文献学者骆玉明、汪涌豪、傅杰、徐志啸等教授在谋篇布局上的悉心指点，形成了本套"国学基本教材"的框架。确定框架之后，我们邀请了武汉大学、复旦大学、华东师范大学、南开大学、中国传媒大学、中山大学、内蒙古师范大学、陕西师范大学、南通大学等高校人文学科中青年学人和江浙沪地区几位优秀的中小学语文教师参与编写。

全书成稿后，沈渭滨、王家范、骆玉明、傅杰、汪涌豪、杨国强、张觉、张新科、徐志啸、鲍鹏山等教授审读了书稿，并提出了宝贵的修改意见；86 岁高龄的书法名家章汝奭先生为“国学基本教材”题写书名；《儒藏》总编撰、德高望重的北京大学教授汤一介先生为我们赠书“圣贤之道”；丰子恺先生后人为我们提供了精美而颇有意蕴的 24 幅漫画用作丛书封面；朱青生教授为我们提供了汉画文献用于插图；画家李永源先生逾古稀之年，为这套丛书手绘了上百幅插画；浙江古籍出版社社长杨林海先生是我故交乡党，听闻我有意筹划一套面向中小学生的“国学基本教材”丛书之后，青睐有加，多方努力协调资源，亲自落实该套教材出版的相关事宜……所有殊胜因缘，都在襄助秋霞圃书院矢志传播中华传统文化的大愿，唯有在此深揖致谢。

由于主持者与编者的学识有限，尽管悉心编校，但不足之处难免，敬请方家、读者指正，以便来年修订时，相应校正。

差错和建议可致电：021-66366439，13816808263。通信地址：上海市嘉定区南大街嘉定孔庙秋霞圃书院，邮政编码：201800，电子邮件：qiuxiapu@163.com。

李耐儒

癸巳春于嘉定孔庙